文春文庫

対岸の彼女

角田光代

文藝春秋

目次

単行本　二〇〇四年十一月　文藝春秋刊

対岸の彼女

1

私って、いったいいつまで私のまんまなんだろう。

ぼんやりしながらくりかえしそう考えていたことに気づいて、小夜子《さよこ》は苦笑する。そんなことを考えること自体、子どものころから変わっていない。私がべつのだれかだったら、たとえば人気者のヨウコちゃんだったら、優等生のニッタさんだったらと、小夜子はよく考えている子どもだった。

せり出した木々の枝が作る日陰の下、ベンチに座る小夜子は、砂場で遊ぶ娘のあかりに視線を移した。公園内には、ほかに何人も子どもがいて、みんなだれかしらと遊んでいるのに、あかりは今日もひとり、砂場の隅で砂を掘りかえしている。あの子ももう少し大きくなったら思うのかしら、私がべつのだれかだったら……なんてことを。小夜子はため息をついて携帯電話を取り出した。着信履歴はない。自分の家に電話をかけて、留守番電話のメッセージを再生してみたが、そちらにも何も入っていない。待っている電話はまだきていないのだ。

あかりを産んだのは三年前の二月だった。あかりが生後半年になるころ、小夜子は、乳幼児を持つ母親向けの雑誌を熟読し、その雑誌の指示通りの時間帯に、指示通りの格好をして、住んでいるマンションから一番近い公園にいった。同じくらいの子どものいる母親と幾度か言葉を交わしたし、健診や予防注射の日に待ち合わせて病院にいったりもした。けれど次第に、その公園では微妙に派閥があることに小夜子は気づきはじめた。ボス的存在がいて、嫌われものとは言わないまでも、さりげなく避けられている母親がいる。三十歳を過ぎていた小夜子は、多くの母親たちよりだいぶ年長で、彼女たちの派閥では「ちょっと異質な人」と見られていることも理解できた。悪い人ではないが、歳が上だから話が合わず、うち解けるのには無理がある。彼女たちがそう思うのも無理はないと小夜子は納得した。

そうなるとその公園にいくのはとたんに気が重くなり、しばらく公園とは無縁で過ごしていたが、家にいればいたで、何か悪いことをしているような気がしてくる。公園にいってほかの子どもと接する機会を作らなければ、あかりの社交性は育たないような気がしてくる。

それで、この二年ほど小夜子は徒歩圏内の公園をぐるぐるとめぐっていた。A公園にしばらく通い、そこに集まる母親たちの関係性が見えてくるとB公園へと移動する。さいわい、小夜子の住むマンション付近には大小の公園が無数にあった。

自分のような母子のことを公園ジプシーと呼ぶらしいと、小夜子は知っている。好きでさすらっているわけではない、居心地のいい公園を捜しているだけだと、だれにたいしてか言いわけをするようにつぶやきながら、いつも小夜子はあかりを連れて家を出ていた。

マンションから歩いて二十分ほどのこの公園は、広大で、ちいさな公園特有の母親コミュニティがない。父親が赤ん坊を連れて散歩していたり、祖父母が孫と遊んでいたり、母親たちの年齢層も格好もばらばらで、みな礼儀として無関心を装い、よほどのことがないかぎり親しげに近づいてはこない。それが気に入って、ここ半年ほど小夜子はこの公園にきていた。

しかし母親たちの交流がないといっても、子ども同士はいつのまにか仲良くなっていたりする。遊具がかたまって置いてあるスペースでは、父親や母親がそれぞれ本を読んでいたりカメラをいじっていたりするのとは裏腹に、子どもたちはだんだんと距離を縮めて、知らないもの同士遊びはじめる。ときにはおもちゃを取り合って泣き出す子どももいる。けれど親は極力口出ししない。それがこの公園の暗黙の了解らしい。

あかりは、プラスチックのスコップを持つ手を止めて、近くでおままごと遊びをしている女の子をじっと見ている。砂場の真ん中で、赤いTシャツを着た女の子と、ひまわり模様のワンピースを着た、あかりと同い年くらいの女の子が、プラスチックの色鮮やかな食器を用いて、あかるい笑い声を空に響かせている。遠くから、まだよちよち歩きの男の子が近寄ってきて、なんとなく彼女たちの輪に入る。女の子たちはしげしげと男の子を見ていたが、ワンピースのほうが母親然とした仕草で、彼にフォークを渡している。

小夜子は興味のないふりをしながら、砂場の真ん中で遊ぶ子どもたちと、隅でひとり砂いじりをしているあかりを目の端で観察していた。あかりは顔を上げ、ちらりとおままごとチームを見るが、すぐに砂場に目を落としてしまう。

あかりを見ていると、あまりにも自分に似ていて驚くことがある。だれかと遊びたいと思っても、無邪気に仲間に入っていくことができず、片隅でいじいじと声をかけられるのを待っている。けれどそんな姿に気づく子どもは少なくて、顔を上げれば子どもたちはみんなどこかへいってしまっている。あかりの目線を追っているつもりが、いつのまにか自分の目線になっている。公園のママ仲間になじむことのできなかった自分の。そう気づくたび、あかりに対して申し訳ない気持ちになる。だれかれに屈託なく話しかけて、派閥など気づかないふりのできる、マイペースで陽気な母親だったら、あかりもそんな子どもになるだろうにと思ってしまうのだ。

結婚して二年、あかりが生まれてから三年、外に働きに出ようと幾度か考えた。公園のことで頭を悩ませるより、自分が働きに出て、あかりを保育園に入れれば、少なくとも公園ジプシーでいる今よりは友達もできるだろう、社交性も育つだろう。しかし小夜子はなかなか腰をあげられないでいた。子どもが一番かわいい時期に働くなんて信じられない、それに、ママといっしょにいられない子どもがかわいそう――公園で専業主婦が口にしていたせりふを言い訳のように自分に言い聞かせていたが、腰をあげられない理由はそんなことではなかった。公園内でのささやかな派閥は、働いていたころの会社をまざまざと思い出させた。

大学を出て小夜子が就職したのは映画の配給会社で、新入社員にも大きな仕事を任せてくれる自由な職場だった。小夜子は仕事が好きだったし、上下関係に神経質ではない雰囲気も好きだった。けれど数年過ごすにつれて、微妙な対立が見えてきた。女子社員と契約社員たちのあいだでくりひろげられる、なんとも馬鹿馬鹿しい応酬だった。コーヒーや麦茶の準備を巡って、退社時間を巡って、服装を巡って、女子トイレの私用化を巡って、そのひそやかな対立は終わることなく続いていた。どちらにもいい顔をしたり、どちらも無視していたりすると、いつのまにか自分がやり玉にあげられたりする。双方から適当な距離を保つには努力を要した。実際小夜子は努力していた。その努力がほとほと嫌になってきたころ、交際していた修二からタイミングよく結婚話が出た。それを承諾したのと、退職届を出したのはほぼ同時だった。結婚後も小夜子が仕事を続けると根拠なく信じていたらしい修二は、そのことについて不満そうな顔をしたが、小夜子は気づかないふりをした。

働きにいこうと思う。小夜子が修二にそう言ったのは、つい一カ月前のことだった。なぜ急に働く気になったのかと訊《き》くこともなく、いいんじゃない、と修二は言っただけだった。信じていないんだろう、と小夜子は思った。いっときの気まぐれを口にしただけだと受け取ったに違いない。

しかし小夜子は本気だった。求人誌を買いあさり、職種など問わず、「未経験可・主婦可」という文字を頼りに面接を受け続けた。何が悪いのか、連続して不採用だった。面接のたび、井荻に住む夫の母にあかりを預けなければならず、義母に嫌味を言われ続けていたが、それで小夜子の気持ちが萎《な》えることはなく、よけいムキになって面接申し込みをし続けていた。

小夜子はふたたびディスプレイを見て、携帯電話を尻ポケットにしまい、空を見上げる。頭上に揺れる葉の向こうに、澄んだ青空が広がっている。

おととい受けた面接の結果が、今日のうちにわかることになっていた。不採用続きだが、しかし今度はうまくいくのではないかと小夜子はひそかに期待していた。おととい会った女社長を思い出す。偶然にも小夜子と同い年で、しかも同じ大学の出身だった。マンモス校だったから、珍しいことではないけれど、しかしその女社長は仲のよかったクラスメイトに会ったように喜んでいた。「私たち、校門から続くあの銀杏並木《いちょう》とか、学食で何度もすれ違ってたかもね」女社長は学生のような話し方で小夜子に笑いかけた。

砂場の真ん中で行われていたおままごとは、いつのまにかお店屋さんごっこにかわり、大根半分くださいな、お魚のお腹を出してくださいなと、鼻にかかったような子どもの声が響いている。あかりがその様子を横目でじっと見ていることに小夜子は気がついた。母親がとりもってくれると思っているらしく、あかりは懇願するような視線を小夜子に向けてくる。小夜子はあわてて目をそらす。心が痛むけれど、仲間に入るすべを自分で見つけてほしかった。

数分ののち、スカートの裾《すそ》を砂だらけにしたあかりがそろそろと立ち上がった。意を決したように、お店屋さんごっこに近づいていく。じゃあこれがお金ってことね、それはお金じゃないからね、夢中で言い合い道具をわけっこしている三人組のかたわらまできたあかりは、スコップと砂の詰まったバケツを差し出し、なんとか彼らの気を引こうとしている。けれど三人とも、気がつかないのか無視しているのか、あかりには目もくれない。しばらく彼らのまわりをうろついていたあかりは、仲間に入れてもらえないと理解するやいなや、手にしていたスコップとバケツを思いきり砂場にぶちまける。運悪く、一番ちいさな男の子が、バケツの砂を頭からかぶってしまい、火がついたように泣き出す。小夜子はあわてて砂場に走った。ごめんね、ごめんね、とくりかえしながら小夜子は男の子の砂をはらう。あかりは少し離れたところから、泣き出しそうな顔でその様子を見ていた。

「いいんですよ、大丈夫です。ほらシンちゃん、あんた泣きすぎだって。おねえちゃんたちがびっくりしてるでしょ」

帽子をかぶった若い母親が砂場にきて小夜子に笑いかける。赤いTシャツの子とワンピースの子は、目配せしあって砂場から退散していく。

「ほら、あかり、あんたあやまんなさい。何逆ギレしてるの、バケツを放り投げて」

尖《とが》った自分の声が耳に届く。いつもこうなってしまうと、言いながらすでに小夜子は反省している。あかりに対して申し訳ないと思いながらも、うまく友達をつくれないあかりにいらいらして、つい声を荒げてしまう。

「ほら、お友だちにあやまろうね」

小夜子はやさしい声を出しふりむくが、男の子と母親はとうにうしろ姿を見せていた。

「あかり、スーパーいって帰ろっか。ママお洗濯するの忘れちゃってたよ」

小夜子は言いながら、バケツやスコップをかき集め、あかりの手を引いてベンチへと戻った。

カートの前方にあかりを座らせ、空《す》いたスーパーマーケットを小夜子は歩く。挽肉が安かった。ハンバーグにしようと決める。ほうれん草やにんじん、卵の値段を確かめながらカートに入れ、柔軟剤が切れていたことを思い出して移動する。

「マーマー、ミルミル買った？　ミルミル買ったよね？」体を傾けて訊くあかりに、「はいはい買いましたよー」いい加減に答えながら、柔軟剤の値段を確認していく。一番安い詰め替え用の柔軟剤を選び出し、ふと、その三倍はする製品のパックをしげしげと眺める。

一カ月前。働こう、と決意したきっかけは、じつにささいなことだった。一枚のブラウスである。吉祥寺のデパートで、小夜子は一枚のブラウスが気に入って何気なく値段を見た。一万五千八百円だった。そのとき小夜子には、その値段が高いのか安いのか、さっぱりわからなかったのである。もちろん修二のYシャツに比べれば高い、月々の家計から捻出するには高い。けれど、三十五歳の女性が身につけるものとしてはどうなのか。そもそも自分と同い年の女性にとって、ブラウスの相場とはどのくらいなのか。

わからない、ということは思いのほかショックだった。すべてがつながっているように小夜子には思えた。母親たちのしがらみを避け公園を転々とすること、あかりが自分とそっくりにひとりで遊んでいることと、ブラウスの平均値段を知らないことは、みなつながりあっているのではないか。働きはじめれば、ブラウスの平均値段もわかるだろう、公園選びで頭を悩ませることもなくなり、尖った声であかりを叱ることも減るのではないか。働きはじめれば——それがすべての解決策のように小夜子には思えたのだった。

「さーて。スーパーはこれで終わり。帰ってママはお洗濯するね」

右手をあかりとつなぎ、左手に荷物を提《さ》げた小夜子は歌うように言った。あの会社から採用の電話がこなければ、また明日、求人誌を買いにいこう。自分に言い聞かせるように思いながら、小夜子はあかりとつないだ手を大きく揺らし、帰り道をたどる。

同い年の女社長から電話がきたのは、夜の八時を過ぎたころだった。夫の修二は帰宅していて、電話が鳴っているのにとる気配もなく野球中継を見ている。

「マーマー、電話だよう」

子ども用の椅子に座っていたあかりが声をはりあげ、小夜子はあわててキッチンから出てリビングルームの子機を手にした。

「はい田村でございます」

「ああ田村さん、私、プラチナ・プラネットの楢橋《ならはし》です。先日はありがとうございました」

受話器からはのんびりした女の声がし、電話はこないのだろうとあきらめかけていた小夜子は、驚きのあまり深々とその場で頭を下げる。

「こ、こちらこそありがとうございました」

「あの、あなたにお願いしようと思うんです。採用ということで、お受けいただけますか」

「えっ、あっ、はい、ほんとですか」

修二がちらりとこちらを見る。

「それで仕事内容についてお話ししたいんです。ひょっとして誤解があるかもしれないんで……。説明を聞いてみて、もしそれじゃ嫌だって思ったら、断ってくれてかまわないので」

女の声の背後から、騒々しい音楽が聞こえる。やかましくだれかが話している声もする。おととい訪れた狭い事務所を、小夜子はその背後の声に重ね合わせた。

「そんなこと、ないです」

「とりあえず、またこちらまできてもらえますか？　明日か、あさってか……田村さんの都合のいいときでかまいませんよ」

「明日いきます、あの、昼すぎにはいけると思います」

勢いこんで小夜子は言った。

「じゃあお待ちしていますね」

女は言って電話を切った。小夜子は慎重に子機を元に戻し、

「やった！」思わず叫んだ。

「何？　なんの電話？」修二が訊く。もうテレビに目線を戻している。

「ママー、なんのでんわー？」ごはんだらけの手でフォークを握り、あかりは修二のまねをする。

「あのね、こないだ話してた仕事の話、採用になったの。もうだめだと思ってたんだけど。その会社ね、私と同い年の人が社長なの。しかも大学もいっしょだったの。すごくさばさばした、感じのいい人でね、会社もちいさいけど居心地がよさそうなのよね。五年ぶりの仕事だから、ああいうちいさいところのほうがいいかもな、って思ってたの。社長とも話が合いそうだし」

サラダを盛った皿を運び、取り皿をテーブルに並べながら小夜子は夢中で話した。プラチナ・プラネットというその会社は、古い雑居ビルの五階にあった。事務所は、デスクの並ぶ洋室、「社長室」とごっこ遊びみたいなプレートのかかった和室、十畳ほどのリビングダイニングの2LDKで、どこもかしこも、すさまじく散らかっていた。散らかっていたが、不思議と居心地がよかった。女社長は裏表のなさそうな人で、数人の女性が机に向かっていた洋室からは、ときおり陽気な笑い声が響いていた。ここなら——

と、たしかにあのとき小夜子は思った。ここなら派閥も、対立も、子どもじみた応酬もないだろう。何しろこんなに少人数だし、女社長は気さくな人みたいだし、それまで面接を受けたどこの会社よりも雰囲気が明るい。

修二は、意外だという顔で小夜子をちらりと見、

「よかったじゃん」一言言ってテレビに顔を戻した。「だけどあかりはどうするの」

「えー、あーちゃん？」あかりが声をあげる。

「どうするって、もちろん保育園に預けるけど？」

修二は何も言わず、サラダを取り皿にとっている。

「いろいろ考えたの。保育園なんかかわいそうだって言う人いるけど、あなたのお義母《かあ》さんもそう言ってたけど、同い年の子とたくさん遊んだほうがあかりにとってもいいに違いないし、それにね、これからどんどんお金かかるでしょ、今だって」

「なんの仕事だっけ」小夜子の話を遮《さえぎ》って修二は訊く。

「何って、クリーニングって募集要項には書いてあったけど」

「クリーニング屋？」

「ううん、旅行会社なの」

「意味わかんないな」

「明日、説明を聞きにいくからもっとくわしくわかると思う。あっ、またお義母さんに

電話しなきゃ。ねえ、あなたかけてくれない？　私あとでかわるから」

テレビを見ていた修二は、「おっ」と低くうなり声をあげた。私が五年ぶりに働くことより、清原の打ったボールの行方が気になるわけねと小夜子は心のなかでつぶやいた。

「ま、なんにしても久しぶりだから、無理しないで」

テレビに顔を向けたまま、修二は思いだしたように言った。

「ママー、よかったねえ」

なんにもわかっていないだろうあかりが、そう言って笑顔を見せる。

「あーちゃんありがとうー、チューしちゃおう」

小夜子はあかりの頭を思いきり抱いてほっぺたにくちびるを押しつけた。キャハハハと、澄んだ声であかりが笑う。

あまりきれいとは言いがたい中華料理屋で、向かい合った女社長と、テーブルの隅に置いた名刺の、楢橋葵という文字を、小夜子は交互に見た。大久保にある事務所に着くなり、お昼食べにいこう、と葵《あおい》は小夜子を外に連れだした。女社長が連れていってくれるのはどんなところなのか、外食が久しぶりの小夜子はわくわくしていたのだが、着いたのは、色あせた手書きのメニュウが壁一面に貼ってあるこの店だった。一時過ぎだからか、二階席には小夜子たち以外だれもいなかった。店員がビール瓶とコップを運んで

くる。葵はすばやく小夜子のコップを満たし、手酌で自分のコップにもビールを注《そそ》ぎ、

「それじゃ、よろしくお願いします、かんぱーい」

高らかに言って小夜子のコップにコップをぶつけた。

「ね、田村さんて学部どこだった？」口の端にビールの泡をつけて葵が訊く。

「文学部の、英文科です」

「敬語使わないでいいよ。同い年なんだから。私は哲学科。一年だぶって、やっとこさ卒業したの。じつはさ、面接する人まだ残ってたんだけど、田村さんが帰ったあとで即決しちゃった」

「どうしてですか」小夜子は思わず訊いた。

「また敬語」葵は小夜子をちらりとにらみ、自分のコップにビールをつぐ。「どうしてってどういう意味？」

「いや、どうして私だったのかと思って……。じつは、ずっと不採用続きだったんです。主婦可って書いてあるのに、ちいさい子どもがいると病気だなんだってすぐ休まれるんだよな、なんて言われたり、あと、英文科卒だからって英語が得意だなんて間違っても言わないでね、とか言う人もいたり、正直、めげてたんで」

あはは、と天井を仰いで笑い、

「面接官がそういうこと言う会社って、きっと不満が渦まいてんだろうね。八つ当たり

だよ、ただの。私はそんなふうに鬱屈《うっくつ》してないんで、正しく人を見ることができるってだけでしょう」葵は言った。

店員が二人ぶんのランチセットを盆にのせて、ひどくゆっくりした足どりで運んでくる。ランチセットは茄子と挽肉の炒めものだった。店員が去ると、箸入れから取り出した箸を小夜子に渡し、葵は真顔《まがお》になった。

「だけど、田村さん、仕事内容ちゃんとわかってる？　やってほしいのはお掃除の仕事なの。田村さん、結婚する前は、映画の配給会社でアジア映画に邦題つけたり、グッズ手配してたって言ったじゃない？　なんていうか、うちで求めてるのはそういう、表現系っていうかやりがい系じゃなくて、単純作業のサービス業なの。それでもやってもらえる？」

「もちろんです。なんでもいい、働きたいんです」

小夜子は言った。働きたい、ではなくて、働かなきゃならないんだと、心のなかでは言っていた。あかりのために、母親である自分のために。

「そっか、安心した」葵は言って、料理を食べはじめた。小夜子も視線を落とし箸を割る。

料理に目を落としたまま、葵はプラチナ・プラネットについてぽつぽつと説明をした。旅行関係の便利屋みたいなものだと葵は言った。主な業務は、アジアを中心としたリゾート地の企画や手配を、個人・法人相手にやっているが、旅行会社に企画を買ってもらうこともあるという。けれどそれだけでなく、買いつけ代行だの、海外取材のコーディネート、交通機関や宿の手配、アンケートの集計まで、なんでも引き受けるのだと葵は説明した。

「だからつまり便利屋。私、大学一年だぶって、卒業してすぐこの仕事はじめたのね。とはいえ、学生に毛の生えたようなものだもの、だれかが仕事持ってきてくれればなんでも引き受けてたの。それが会社のカラーみたいになっちゃって。でも、人脈はずいぶん広がったけどね」

葵はそこで言葉を切って、コップのビールを飲んだ。葵は化粧をしていなかった。アクセサリもいっさいつけていない。社長なのにずいぶんこざっぱりしてるんだな、とこっそり思い、自分の抱いている女社長像に小夜子は笑い出したくなる。女社長という言葉で小夜子が想像するのは、隙《すき》のない化粧に大量のアクセサリ、ブランド品で身をかためた女だった。緊張していたからよく見てはいなかったが、そういえば面接のときも、葵は自分の陳腐な想像とかけ離れた格好をしていたと小夜子は思い出す。

「五、六年くらい前に、スリランカの南方を中心にね、ガーデンってホテルグループができたの。ウェリガマとかタンガッラとか、インド洋沿いの、まだ開発されてないようなところ。それの日本の、うちが総代理店っていうの？　そのホテル関連は全部任せてもらえることになって。それをはじめてからずいぶん安定したんだけど、テロだの戦争だの……ま、大手と違ってそういうことは意に介さないコアな旅行者を相手にしてきた強みというのはあるけどさ、今度は新型肺炎って、もう神さまに意地悪されてるとしか思えない。海外を取り扱うちみたいなちいさい会社、ずいぶんつぶれてるんだよねえ」

小夜子は黙ってうなずきながら、茄子と挽肉炒めを食べ続ける。旅行業務が主な会社に、お掃除おばさんがなぜ結びつくのかがわからないまま、テンポよく食べてはしゃべる葵を見る。

「それでうちももう少し手を広げたいなっていうのがあって。国内旅行も参入できないかとかね、いろいろ考えてるんだけど……その一環としてお掃除代行業務なの」

とうに食べ終わっている葵は、テーブルに肘《ひじ》をつき軽く身を乗り出した。

「なんでいきなり？　って、思うよね。でもね私には長期的な見通しがあんの。日本って、どこいくにもたいてい飛行機乗んなきゃならないし、しかも休みなんかすごく少ないのにさ、日本人はすごく旅行するじゃない。世界各国、日本人を見ない国はないっていうくらい、日本人は海外旅行してる。パラグアイで七十二歳の日本人旅行者見たとき、私思ったの、絶対旅行ってすたれないし、ますますはやるだろうって。これはかなり希望的観測だけど、休暇にとれる日数もどんどん増えていくと思う。それでさあ、お掃除代行なのよ。長期休暇に出かける人んちをね、ハウスキーピングしてあげましょうってことなの。植木の水やり、庭の草むしり、郵便物の整理、空気の入れ換えに掃除、そういういっさいを気にしないで旅行できたらどんなにいいかと思わない？」

　葵は身を乗りだして言った。子どもが生まれてから旅行には無縁の小夜子には、それが儲かって仕方がなくなるような職種に思えなかったのだが、

「はあ」ととりあえず相づちを打った。

「でもこういうのって、根づくまでものすごく時間がかかるのよね。実際、掃除が必要なほどの長旅に出る人なんか今はそんなにいないだろうし。ま、今すぐ結果を出す必要もないから、旅行者だけではなく対象を広げてね、知り合いの家事代行会社と提携しながらとにかくはじめてみようと思って。で、田村さんが採用になりました、というわけ。あー、話したらのどかわいた」

　そこまで話すと、葵はコップに残ったビールを一気に飲み干した。ようやく小夜子はランチセットを食べ終え、箸を置く。

　正直、小夜子には葵の話のほとんどがわからなかった。小夜子が理解したのは、プラチナ・プラネットというこの女の会社は今経営難にあり、旅行会社から家事代行業へ移行しようとしているらしい、ということのみだった。職種替えの節操の無さが恥ずかしいから、もしくはなんらかの法律にひっかかるから、無理矢理「旅行者の」ハウスキー

ピングなどとこじつけているのだろうと、小夜子はぼんやりと思った。

「勤務時間のことなんですけど……」葵の話が一段落ついたところで、小夜子は口を開いた。「週三、四回ってたしか募集要項に書いてあったと思うんですけど、週五日働かせていただけないでしょうか」

「えっ？　ずいぶんはりきってるんだね」葵は目をまるくして言った。

「そうじゃないんです。子どもを保育園に預けたいんですけど、週三日だと、預かってもらうのは難しいんですね。勤務時間や勤務条件で、入れるかどうかが決まるんです」

「ああ、そうか、そうだよね、田村さんお子さんがいるんだもんね。じゃあこうしない？　当面は週三日で充分なんだけど、おいおい週五きてもらうことになるだろうから、アルバイトじゃなく社員で、フルタイム労働ってことにしとけばいいんじゃない？　そういう証明書みたいのが必要なんでしょ？」

「いいんですか？」

「いいよいいよ、もちろん。あ、でもお給料は週五日ぶんは払わないけど」

「もちろんです」勢いこんで言うと、

「冗談だって」葵は大きく笑った。

「学生食堂を思い出しちゃう」思わず小夜子は言った。店の大きなガラス窓から、陽《ひ》にちかちか光る大木が見えるところが、小夜子の通った大学の食堂に似ていた。

「ああ、あの新しくできたほうの？　私もよくいってた。卒業してもいってた。安いし」ガラス窓を見やり、葵も目を細める。

「じゃあ本当に会ってたかも」

「まぐろづけ丼って覚えてる？　五百八十円だったんだけど、学生のころはそれがすごく高く思えて、憧れだったんだ」

「覚えてますよ、私も憧れでした。たしかカレーが百七十円で、一番安くて」

「そうそう、あの肉なしカレー！」

小夜子は葵と顔を合わせひとしきり笑った。そうして学生時代のことを話していると、会ったばかりという気がしなかった。学生食堂で、値段の高さや肉の少なさに文句を言いながら、いっしょに食事をしていたような気がした。

「それじゃ、ちょっと事務所に戻っていい？　うちのメンバーを紹介するから」

葵は勘定書を手に立ち上がる。小夜子もあわてて席を立った。

「よかった、田村さんみたいな人がきてくれて」

狭い階段でふりかえり、葵は言った。ありがとうございますと小夜子は思わず頭を下げた。

荻窪からバスに乗ったのだが、渋滞していて、小夜子が井荻にある夫の実家に着いたときには三時半を過ぎていた。

「なあにい？　デパートでも見てきたの？　いつまでも気分が若くていいわねえ」

居間でテレビを見ていた夫の母は間延びした口調で言う。

「あーちゃんね、さっきまで起きてたの、あなたに寝かせないでくれって言われてるから、私も必死で起こしてたんだけど、いつまでたったってあなたは帰ってこないし、あーちゃんはぐずるし、もう降参って、寝てもらっちゃったのよう」

母親はこういうものの言いかたをする人で、嫌味や皮肉を言っているわけではないのだと夫は言い、実際そうなのだろうと思うのだが、いつまでたっても小夜子は笑って受け流すことができない。

「すみません、道路が混んでて、バスがのろのろ運転で」

「ねえ小夜子さん、本当に働くの？　修二のお給料じゃそんなに足りない？」

そういうんじゃないんですけど……曖昧《あいまい》な笑みで答えながら、小夜子は二階の和室に向かう。お客さん用の布団の真ん中で、あかりは大の字になって寝ていた。濡れた布地みたいに重たい子どもを畳に移し、布団を畳んで押し入れにしまう。あかりを抱いて小夜子が階下に降りていくと、義母は台所で何かしていた。

「じゃあお義母さん、すみません、私これで失礼しますね、今度ゆっくりお邪魔します。今日は本当にありがとうございました」

廊下から声をかけると、夫の母は紙袋を手に台所から出てくる。

「あのねえ、これ持って帰って。無農薬のお野菜と、それから小田原の干物をいただいたの、おすそわけしてあげるから」

その重さに思わずうんざりするが、断るわけにもいかない。

「いつもありがとうございます。いただきます。それじゃ、私、これで」

くりかえし頭を下げて、ようやく夫の実家を出る。片手に眠るあかりを抱え、片手に重たい紙袋を提げ、バス停までの道を歩く。陽は傾いて、町はほんの少し橙《だいだい》色を帯びている。いやあよそんなの、と、耳元であかりがちいさく寝言を言っている。

まず近所の保育園を片っ端から見学しよう、それから入園申請をして……バスのなかでめまぐるしく小夜子は考えた。明日から、いや、もうすでに、まったく新しい日々がはじまっていることを小夜子は実感した。目覚めて雨が降っていると、公園にいかなくていいのだと安堵し、次の瞬間罪悪感にさいなまれていた自分が、車窓の光景みたいに遠ざかっていく気がする。

2

田舎くさい町、と、自分の部屋の窓から外を見おろし、楢橋葵はつぶやいた。百八十度田んぼが広がり、途中からそれは桑畑になり、さらにその先は竹林になっている。

この町についてすぐ、駅周辺にたむろしていた女子高校生たちが、未だ長いスカートをはいているのを見たときも、葵は同じせりふを心のなかでつぶやいていた。しかも、春休みだというのになんで制服なんか着ているんだろう？

「アオちゃーん、起きてるんでしょうー、早くしなさいよー」

階下から母に呼ばれ、葵はあわててハンガーにかけてある制服を手にした。まだ袖を通していないブラウスを着、プリーツスカートをはき、ジャケットとリボンを持って階下に降りていく。

母親はテーブルのわきに立ち、炒《い》り卵をフライパンから皿に移していた。

「初日そうそうから遅刻なんてみっともないわよ、さっさと食べなさい。早めに出たほうがいいから」

「あーもう、わかってるって」

葵は席に着き、皿にのったウィンナにフォークをつきたてた。片手でリモコンを操作し、朝の連続テレビ小説を流しているチャンネルをかえ、ワイドショーで手を止める。ちょうど一周年を迎えるらしいディズニーランドの模様を、テレビは映していた。

「ああもう、おかあさんテレビ見てたのに」

母は甲高《かんだか》い声で言いながら台所から出てきて、葵の前にトーストを置いた。そんなことを言うわりには、ディズニーランドをじっと見つめ、その場に突っ立っている。葵は何も言わずトーストを食べた。あたらしい家に移っても、母の出す朝食はかわらない。そのせいで、まだあの町にいる気がする。今日もあの学校へいかなければならないような気がする。葵はテレビから目をそらし、窓を見つめた。カーテンの向こうに広がる田んぼを見つめ、違う、ここはあそこではないと、胸のなかで言葉にしてみる。

「ほら、初日なんだからのたくら食べてないで。遅刻したら恥ずかしいから。このリボン、結びかたに何か規定があったわよね？　なんだっけ、プリントがあったわよねえ」

母は言い、ばたばたと食器棚に近づき引き出しを開けはじめた。その姿を見ていると、葵はなぜか無性にむかついた。

「だいじょうぶだよ、おかあさん。遅刻したくらいでいじめられたりしないよ。それにもしなんかあっても、もう引っ越したいとかあたし言わないし」

葵は嫌味のつもりで言ったのだが、母は泣きそうな顔で葵をふりむくと、

「だいじょうぶよ、アオちゃん。今度のところはきちんとした女子校で、きているのは育ちのいいお嬢さんばかりだもの。いじめられるとか、そういう幼稚なの、もう金輪際《こんりんざい》ないんだから」

なぐさめるようなことを言い、葵をますます不機嫌にさせた。父はタクシー運転手、母は引っ越すやいなやパートを捜している、ちんけな中古住宅に住む子どもが、育ちのいいお嬢さんたちにまじってうまくやっていけるかしら、とさらに嫌味を言おうとして、けれど葵は出かかった言葉を炒り卵とともに飲み下した。母を困らせたってしかたない。かなり古びたこの一軒家を買うのだって、たいへんだったはずなのだ。個人タクシーの運転手である父は、以前は二日に一度朝食の席にあらわれたのに、どんな時間帯に働いているのか最近はすれ違いばかりで、三日に一度夕食をともにできればいいほうだった。毎日のように面接に出かけていく母だって、たのしくてそうしているわけではないだろう。

「ごちそうさま。リボン、これでいいかな」

葵はえんじ色のリボンを結んで、母の前に立って見せた。母はプリントとリボンのかたちをじっくりと見比べ、

「オッケイ、ノープロブレム」真剣な面もちで言い、玄関先まで葵を送りにきた。

「じゃあね、いってきます」

「気をつけてね、今日の夜はおとうさんもいっしょだから、おいしいものつくるわね」

母はどこか必死に聞こえる声で言い、ちぎれんばかりに手をふっている。なんだか新妻が夫に言うせりふみたいだと、葵はこっそり笑い、玄関の扉をていねいに閉めた。

バス停に向かって歩き、うしろをふりかえって母がこちらを見ていないことを確かめ、葵はすかさずジャケットのなかに手を入れ、スカートのウエスト部分を何重にも折り曲げた。スカート丈が膝上《ひざうえ》になったことを確認し、バス停目指して走った。

中学の卒業式までは神奈川に住んでいた。横浜市磯子区のマンションだ。引っ越すことになったのは、実際いじめが原因だった。葵は友達づきあいというものがどんなものか知らなかった。うまくやるコツも、どうすれば失敗なのかも知らなかった。小学校のころから、仲良しと呼べる子はいなかった。仲よくなったと思っても、数週間ののちにその子はほかの子どもとつるむようになる。悪くすれば、ほかの子どもと一緒になって葵の悪口を言い、ひそやかに無視した。どうしてなのか葵にはわからない。わからない

まま中学生になった。

小学生のころは親しい友達がいないだけだったが、中学にあがると、とたんにいじめられるようになった。教科書がなくなり、上履きがなくなり、体操服がなくなり、クラス全員に公然と無視され、しまいに葵の机と椅子だけ、いつも教室の外に出されるようになった。戻しても戻しても、明くる朝登校してくると机と椅子は外に出されている。

中学二年の三学期から、葵はほとんど学校にいかなくなった。中心になって自分をいじめる子を憎いとか嫌いだとか思う気持ちはまったくなくて、自分がいけないのだと葵は思った。そう思うしか、理解しようがなかった。自分の何かが人を苛立《いらだ》たせるのだろう。自分の何かが無視されるに価《あたい》するのだろう。

中学三年時には、卒業が危ないと言われ、それでも何日かは登校した。ずっとうつむいていた。クラスメイトの顔よりも教師の顔よりも、校舎のタイル模様を葵は鮮明に覚えている。

両親は、葵が学校にいかなくなったことを心配してはいたが、中学卒業とともに解決する問題だと思っているようだった。違う学校にいけば、知り合いのまったくいない遠くの学校にいけば、どうにかなるはずだと、そう思いたいらしかった。引っ越したいと言ったのは、だから葵だった。この町にいるかぎりあたしはあたしのままなのだ、人を苛つかせ、攻撃的にし、鈍《どん》くさくて不潔なままでいるしかないのだ、高校を出ても大学にいってもお勤めをはじめてもあたしはかわることができない、あたしのだめな断片をだれも知らないところにいかないとかえることができない。そう言う葵に、そんなことはないと両親は説得していたが、そこへ物騒な事件が相次いだ。女子中学生三人が飛び降り自殺し、ホームレスを殺した犯人が中学生だと判明した。そのどちらも、横浜市のできごとだった。

群馬には母の実家があった。それで引っ越し先をそこに決めたのだろう。引っ越すことはひどく性急に決まり、祖母の家に泊まって葵は何校か女子校ばかりを受験し、あまり出来がいいとは言いがたい女子高校に受かったのを待って、引っ越しはあたふたとおこなわれた。母親は磯子の暮らしにずいぶん未練があるようだった。スーパーもデパートもない、近所づきあいが面倒くさい、仕事をしようと思ってもいい仕事なんかまるでない、住んでいる人々は野暮ったい野次馬ばかり、そういう町が嫌で若いころに出ていったのに……しかしそういう愚痴を、母は葵の前では言わないように気をつけているらしかった。葵からすれば、それはずいぶんわざとらしく見えるのだった。引っ越したいと譲らなかった自分に、母しかわからない方法で復讐しているんじゃないかと邪推してしまうほどに。

講堂は、見事に女ばかりだった。女子校なのだから当たり前だが、こんなに多くの同世代女子が一堂に会しているのを、葵ははじめて見た。萌葱《もえぎ》色のスーツを着た女校長が、壇上でずいぶん長い挨拶《あいさつ》をしている。我が校は英語教育に力を入れているのだと、そんな話をしている。これからの日本ではますます英語力は問われていくであろうと、力をこめて言っている。

葵はずらり並んだ女たちの頭を見渡す。脱色したのや、パーマや、刈り上げはほとんどおらず、勉強ができないところは不良ぞろいと相場が決まっているが、思いのほかまじめな学校なのかもしれないと葵は思った。スカート丈が短いのも、登校中見たかぎりでは葵だけだった。これはあとで元通りにしたほうがいいかもしれないと、壇上に立つ初老の女を眺めて葵は考えた。ださいと言われないように短くしてきたけれど、ここではだれも制服に手を入れていないのだから、かえって目をつけられてしまうかもしれない。

「ねえ、それ、あげたの？」

すぐ近くで声がして、葵は考えを中断し周囲を見渡した。右隣の、そのまた隣の席の女の子が、首を突き出して葵を見ている。男の子みたいに髪を短く切っている。顔立ちも男の子のようだった。五歳か、六歳くらいの。

「えっ」何を言われているのかわからず、葵は訊き返した。

「スカート。あなたの、短いじゃん」子どもみたいな顔の生徒はじれったそうに言った。

「それ、どこであげてもらったの？　青洋堂はそういうの、やってくれないでしょ」

「これ、ウエストで折り返してるだけだよ」

青洋堂というのが何かわからないまま葵は小声で答えた。

「えっ、ほんと、落ちてこない？」

「たぶん」

葵と彼女の真ん中に座っている女の子が、話しこむふたりに迷惑そうな視線を投げ、自分は関係ないと言わんばかりに椅子の上で胸をそらし身を引く。

「あとで見せてよ。ただ折り返すだけでいいの？」彼女は真顔で訊いてくる。

「そうだけど」

「ふうん。あたし青洋堂でさあ」

女の子が言いかけたとき、そこ、静かに、と、近くにいた教師から小声で注意された。葵は前を向いて座る。

英語のダ、ありますね、T、H、Eですね、あれはみなさんどこの学校でも「ザ」と読ませます。壇上で校長はまだ話している。しかし我が校ではダ、と発音させます。ザ、というのは和製英語です。ジャパングリッシュと私は命名しているんですが、英米でザなんていったって理解されませんよ……延々と続く女校長の話を聞きながら、ひょっとしたら本当に阿呆な学校にきてしまったのかもしれないと葵は考えた。阿呆でも低偏差値でもダでもザでも、しかし葵はかまわなかった。今声をかけてくれた少女は、どうやら自分を見て苛立ったりはしないようだった、それで充分だった。

「名前、なんていうの」

講堂から教室に戻るとき、さっきの女の子はぴったりと葵に体を寄せてきて、言った。

「楢橋葵。楢の木の楢に、ブリッジの橋。葵は花の葵」

「奈良の木って有名なの？　なんか字画の多い名前」

彼女はなぜか楢を地名の奈良と勘違いしたようだったが、訂正したら彼女に失望されるような気がして、葵はただ笑って見せた。

「あなたは」

「野口ナナコ。ノグチゴローの野口に、魚の子ども」

「さかな？」

「うん。魚の子と書いてナナコ。先祖代々、ジモピーだから」

「野口さん」この県に海はないのではなかったか。ナナコの言っていることはよく理解できず、とりあえず葵は名字を確認する。

「ナナコでいいよ、アオちん」

ナナコはおどけた口調で言って葵の肩を思いきりたたき、列の先へとスキップしていった。へんな人なのかもしれない、うしろ姿を眺めて葵は思う。さかなの子ども。葵はちいさく唇を動かし、つぶやいてみた。彼女もやがて、あたしと口をきいてくれなくなるだろうか。あたしの失敗を指さして笑うだろうか。弁当箱をひっくり返し、くさいと鼻をつまみ、体操服を外履きで踏みつけるだろうか。野口魚子のうしろ姿はもう見えない。

教室の窓からは低く連なる屋根が見え、その向こうに、縁取りをしてあるように山の稜線が見える。教師が流暢《りゅうちょう》な英語で教科書を読むのを聞き流しながら、葵はブルーグレイに染まった山のシルエットを眺めていた。

このあいだの週末、葵は母とふたりで早川農園にいった。父が自分のタクシーで送ってくれた。その前はスネークセンターだったし、新学期前は榛名山《はるな》だった。葵はいきたくなかったが、父も母も同様にさほど乗り気ではないことが理解できた。つまりだれも観光などしたくないのだ。けれど父や母ははしゃいで見せて、あそこへいこう、ここへいこうと提案してくる。自分のことを気づかっているのだ。それがわかったから、葵もことさらはしゃいで見せた。ソースカツ丼が食べたいとか、今度はやぶ塚温泉にいきたいなどと言って。

授業がはじまって二週間がたった。クラスのなかに、だんだんグループができあがってきていた。体育会系のクラブに属するいかにも活発そうな女の子たち、生真面目な冗談を言い合ういかにも勉強のできそうな女の子たちや、帰りのホームルームが終わると女子トイレに駆けこんでめかしこむいかにも遊んでいそうな女の子たち。葵はごくふつうの女の子たちで形成されるグループに、いつのまにか入っていた。みなあまり個性がなく、席が近かったからなんとなくグループになったような印象をだれもが抱いており、しかしそこから外れてひとりきりになることを極度におそれていて、休憩時間は必要以上に甲高い声をあげて笑いあう、そんなようなグループだった。

野口魚子はどこにも属していなかった。お弁当の時間や移動教室の際、ちょこまかとグループ間を行き来し、昼休みは派手なグループから爪の磨きかたを習っていたかと思うと、体育の直前は体育会系グループに混ざってはりきった声を出したりしていた。それでだれにも疎《うと》まれていないのが、葵には不思議だった。

まだだいじょうぶ。一日が終わるたび、葵は胸のうちでそうつぶやいた。その一日、だれも葵の言ったことに顔をしかめなかったし、周囲のかわす話にうまくとけこめた。母親の作ったお弁当は、だれに見られても恥ずかしくないくらい色鮮やかだったし、煮物がノートや教科書に茶色い染みを作ることもなかった。みんなが笑うところで笑ったし、教師の悪口には賛同した。

そんなふうに今日一日のあれこれを反芻《はんすう》しつつ、バス停に向かう坂道を歩いていると、背中を軽くたたかれた。葵はふりむいた。入学式以来、話をしていなかった野口魚子が笑顔で立っている。規定ではない黄色い大きなバッグを斜めがけしている。

「ねえアオちんさあ、スカートなんで戻しちゃったの」

ナナコは葵と肩を並べて歩きながら訊いた。ナナコは葵の肩のあたりまでしか身長がない。

「えっ」

葵は訊き返す。ナナコは体を折り曲げて笑った。

「アオちんてさあ、話しかけるといっつも『えっ』って訊くんだね。目玉をまん丸くして」

笑いながら言う。クラスメイトが何人か葵たちを追い越していき、数メートル先で手をふって走り去る。バイバーイ、また明日ねー。紺のプリーツスカートがひるがえり、黒髪が陽射しを浴びてちかちかと光る。葵は遠ざかるクラスメイトの姿を、神々しいものを眺めるように目を細めて見送った。

「アオちんあのとき、スカートはウエストで折り返すんだよって教えてくれたでしょ？あたしもやってみたんだけど」ナナコは言いながら、ジャケットをまくりあげ両手でウエスト部分を折り返してみせる。「ねえ、襞《ひだ》がよってちょっとへんだよね？」

まくりあげたジャケットを両手で押さえ、乱暴にまるめたスカートのウエストを見せてナナコは言う。その仕草が、取り繕《つくろ》うということをまったく知らない幼児のようで、葵は思わず笑ってしまった。

「ねー、やっぱへんでしょ？」

不満げにナナコは言う。葵はナナコに近づき、彼女が乱暴に折ったスカートを、襞をひっぱりながらていねいに折りなおした。ナナコの体は、汗と柑橘《かんきつ》類のにおいがした。歩道のわきの街道を、大型トラックが土埃《つちぼこり》を舞いあげて通りすぎていく。

「襞を伸ばしながら均等に折り曲げてくと、ちょっとましかも」葵は言った。

ナナコは、通りかかった乾物屋のガラス戸に自分を映し、くるりと一回転して見せて、「本当だ」と感心したようにつぶやいた。短くなったスカートから伸びる、鉛筆みたいにまっすぐなナナコの脚を葵は眺める。葵は入学式の日、スカート丈の短い生徒がいないのを確認するやいなや、悪目立ちしないようにあわててトイレで丈を元に戻したのだった。中途半端な長さのプリーツスカートは、ださい上に脚が太く見えると思うが、他とちがうことをして、へんなふうに浮き上がるよりはまだましだった。

「ねえ、今日さあ、数学のテスト返してもらったでしょ？　あれ、何点だった？　あたしさあ、二点だよ、二点。山野井さんにさあ、何点だった、って訊いたら、『すっごく悪いの、あたしより悪い人なんかいないよー』とか言って教えてくんないの。二点が最低点だっつーの。あたし、かなしくなるくらい頭悪いんだ」

ところどころ道ばたからひょろながい雑草が生える埃っぽい歩道を歩きながら、ナナコはひっきりなしにしゃべった。ナナコのしゃべりかたはおばさんに似ている、と葵は思った。この世のなかのほとんどのことはどうでもよくて、どうでもよくない狭い世界には、悪意や疑念なんか七面倒なものはこれっぽっちも存在しないのだと、思いこんでいるようなおばさん。母親に、観光名所や国鉄駅の待合室で、いきなり姉妹みたいななれなれしさで話しかける田舎のおばさんたちだ。気さくだし、親切にしてくれるけれど、何かあったとき、大多数について冷たく突き放すのも、そういうおばさんの特徴なのだと、自分に言い聞かせるように葵は思う。

　バス停には、何人かの生徒がかたまってバスを待っていた。それぞれ輪をつくって、何か夢中でしゃべっている。列の最後に葵が立つと、ナナコもぴたりとわきに並んだ。まだ話し続けている。帰り道が同じらしい。ナナコの家はどこにあるんだろうと、相づちを打ちながら葵は思った。時刻表のほとんど錆《さ》びたバス停の向かいには、自動販売機ばかりが五、六台並んだ小屋がある。何人かの生徒が甲高い声をあげながら車道を走って渡り、ジュースを買って走って戻ってくる。バスはなかなかこない。トラックや自家用車が、不思議に思えるくらいの猛スピードで走り去っていく。バスがくるまでのあいだ、ナナコの話はめまぐるしく変わった。数学の抜き打ちテストから選択授業へ、選択授業からロードショー映画について、そこからさらに、おいしいフレンチトーストの焼きかたに話は飛躍し、いったいなんでフレンチトーストの話になったのだったかと葵がこっそり首をひねるころ、ようやくバスが二台続けてきた。

女子生徒たちでぎゅうぎゅう詰めになったバスのなか、体をぴったり密着させたナナコは葵を見上げ、

「ねえ、これからアオちんちに遊びにいっていい？」

と訊いた。

「えっ」

驚いて言うと、ナナコはほかの生徒の背中に顔を押しつけて笑った。

「また言った」

「えっ、野口さん、自分ちに帰るんじゃないの」

「やーだ、うちは反対側だよ。アオちんちにいこうと思っていっしょにきたんじゃん」

当然のように言って笑っている。

家にはだれもいなかった。母親は面接にいっているのか、もしくは夕食の買いものにいっているのだろう。食堂は薄暗く、橙色の陽がさしこんでいる。葵のあとについて食堂に入ってきたナナコは、テーブルの、いつも父親が座っている席についた。自分がまだなじんでいない家に、よく知らないクラスメイトが座っていることが、葵には不思議に感じられた。そこもやっぱり薄暗い台所に入り、冷蔵庫を開けジュースを捜す。牛乳とカルピスがあった。グラスを用意し、氷を入れる。手がすべって氷がひとつ、大きな

音をたてて床に落ちた。緊張しているのだと葵は気づいた。

テーブルで頬杖《ほおづえ》をついているナナコの前にグラスを置くと、

「わーいカルピス」

子どものように言って、ナナコは一気に飲み干してしまった。手の甲で口のまわりをごしごしと拭き、葵に笑いかける。

きつい橙の光が射しこむ、薄暗い、どこか他人行儀な部屋のなかで、ショートカットの女の子が自分に向かって笑いかけている、この光景をいつか見た気がした。けれどそれが実際の記憶ではなく、空想のなかの光景であると葵は知っていた。いつも思っていたのだ。だれか、気持ちのやさしい、顔立ちの整った、クラスでも人気者の女の子が、自分と仲良くしたいと言ってくれ、葵が無理に誘わずともこうして遊びにきてくれ、笑いかけてくれる、そんななんでもない光景を、葵は今まで何度も何度も何度も夢想してきたのだった。テーブルにつく童顔のクラスメイトを葵はまじまじと見、ふいに背中を向けて台所にかけこんだ。泣いてしまいそうになったのを、見られるわけにはいかなかった。

「なんか落ち着くねー、ここんち。ねえ、アオちん、あとでさあ、アオちんの部屋も見ていいー？」

食堂から間延びしたナナコの声が聞こえてくる。うん、いいよ。答えながら、水道の蛇口をひねって葵はざばざばと顔を洗った。

「あーカルピスおいしーい。アオちんてさあ、最近引っ越してきたんだよねえ？　そしたらこのあたりのことなんにも知らないんじゃん？　今度、あたしのとっておきの隠れ場所に連れてってあげようか。そこってさあ、あたし小学校のときから唾《つば》つけてんだけど」

警戒心や猜疑心《さいぎしん》を抱くことを断固として許さないような、おばさんめいたナナコの口調が、食堂から切れ目なく聞こえてくる。磯子のマンションより数段冷たい水を顔に浴びながら、うん、うん、と葵は返事をした。どうして声をかけてくれるのか、どうしてうちにきてくれたのか、どうして隠れ場所を見せてくれようとするのか、どうして相手があたしなのか、あるいはその目的はなんなのか、すぐそこにいる背のちいさな女の子に訊きたくて、けれど訊けずに、葵はあいかわらず、うん、うんと声をはりあげて返事をしながら、水道の蛇口をきつくしめた。濡れた顔から水滴が、ぽたぽたと台所の床に落ちる。涙みたいに。

3

六月から研修がはじまることになった。初日は六月二日。汚れてもいいような服装をして、午前九時に中野駅南口の、東京三菱銀行前にいくよう葵に言われていた。

絶対に遅刻はできないと気張った小夜子は、八時四十分に中野駅に着いてしまった。シャッターをおろした銀行の軒先《のきさき》に立ち、だらだらと降り続く雨を見つめ、さっき別れてきたあかりのことを思い出す。義母の家で、早くも泣き出していないだろうか。

認可保育園に入るのは大変だと、知り合いの主婦から聞かされてもいたし、雑誌で読んだこともあったのだが、人ごとのように思っていた。申しこみをすればすぐにでも希望の園に入れるだろうと小夜子は甘く考えていた。仕事がはじまるまでの数週間、小夜子は徒歩圏内の保育園を歩きまわり、園庭の広さや環境、子どもたちの様子や保育士の対応などを丹念に調べ、第一希望から第三希望までを決めて申しこんだ。しかし第一希望の保育園は、入園希望児童が十人近く待機していると言われ面食らった。待機人数に違いはあったが、すぐに入園できるところはまったくなかった。待機リストに名を連ねるしかなかった。結局、小夜子が働くことには未だ反対の義母に、保育園が決まるまであかりを預かってもらうしかなかった。

「アットホームサービス」と車体に書いた白いバンがくるからそれに乗れと、葵に言われていた。公園に集い、手配師を待つホームレスみたいだと、傘の先から垂れる水滴を見つめて小夜子は思う。五年ぶりの初出勤だというのに、わくわくもしておらず、はりきってもいないし不安を感じてもいない自分に小夜子は気づいている。どうにでもなれと、やけっぱちのように小夜子は思っていた。あかりを預かることを承諾していたのに、義母は今日の朝すでに嫌味を言っていた。私は子どもたちが帰ってくるとき家にいない母親にはなりたくなかった、子どもにさみしい思いをさせてまで働く人の気が知れない——せわしなく玄関を出る小夜子の背中にまで言い募《つの》っていた。

九時を五分くらい過ぎて、アットホームという文字が見えた。葵の言ったとおり白いバンがロータリーにすべりこんでくる。小夜子は銀行の前から離れ、バス乗り場の先まで走った。車は小夜子の前で停まる。前列の窓が開き、かさついた印象の中年女が顔を覗《のぞ》かせた。

「乗って。うしろ」小夜子の名前も訊かず、男みたいな低い声で女は言う。

「田村小夜子と申します。よろしくお願いします」小夜子は頭を下げ、バンのドアを引いた。数人の女が座っている。小夜子を見て、みんなぼんやりと会釈《えしやく》した。

「おはようございます。プラチナ・プラネットからきました田村……」

「早く乗って」運転席の中年女は苛立った声で遮り、小夜子はあわててバンに乗りこんだ。運転席のうしろ、金髪の女の子の隣に座ると、背後からだれかが肩を叩く。ふりむいて小夜子は思わず声を出した。

「楢橋さん」

背後の座席中央に、葵が乗っていた。どうして……と言いかけると、

「修行、修行」葵は小声で言い、ピースサインをして見せた。

葵の右隣には、白髪混じりの髪をうしろでひとつに縛った初老の女、左隣に、化粧気のない童顔の、しかし三十代後半と思われる女がいた。女たちは無言だった。葵も何もしゃべらない。昨日風呂のなかで練習した挨拶を披露できるような雰囲気ではなかった。せわしなく動くワイパーの音だけが、車のなかに響く。フロントガラスににじんで映る赤信号が青になり、バンは走り出す。中野駅が水滴の向こうに遠ざかっていく。

手配師とホームレスたち。さっき考えていたことが胸に浮かんだ。なんだか本当にそ

んなふうに思えた。女手配師に、自分で食い扶持《ぶち》を稼ぐことのできないホームレス主婦ってわけか。小夜子は自虐的にそんなことを思い、どうにでもなれと、はっきり言葉にして心のなかで発音した。

二十分くらい走ったところで、運転していた中年女に名を呼ばれ、金髪女と老女、童顔の女が車を降りて、彼女に連れられあるマンションのなかに入っていった。小夜子はふりむいて葵を見たが、葵は口を開けて寝ていた。車のなかで待っていると、中年女だけが戻ってきて、また無言で車を走らせる。さらに二十分ほど走ったところで、バンは白いタイルばりマンションの前に停まった。

「降りて」

中年女に言われ、小夜子は寝ぼけ眼の葵とともにバンを降りた。雨は弱まらず強まらず、さっきとまったく同じように降っている。

「ついてきて」

車をロックした中年女は無愛想に言い、両手にバケツを持ち先に立って歩き出す。オートロックの鍵を解除し、エレベーターに乗り五階を押す。無言で小夜子は後に続いた。ときおり、隣を歩く葵と目があった。葵はそのたび目玉をまるくしてふざけた表情を作った。

床のつやつやかに光る廊下を一列になって歩く。中年女が鍵を開けたのは506号室で、外観が洒落《しゃれ》ているから、豪華なマンションを小夜子は想像していたのだが、開かれたドアの向こうを見て足を踏み入れるのがためらわれた。

「入って」

中年女に言われ、小夜子はおそるおそる部屋に足を踏み入れた。ついさっき引っ越しが終わったばかりのような、人の気配がうっすら残る空き部屋だった。十畳ほどのワンルームで、外観に比べて設備はずいぶん古めかしく、しかしそんなことよりも、その部屋は鳥肌が立つほど汚れていた。カーペットにはしみが幾つもつき、遠目に見てもわかるくらい髪の毛が落ち、猫のトイレ用か、砂利みたいな白い小さい石が部屋じゅうに散らばり、壁紙は煙草のニコチンで夕陽色に染まり、いったい何をしたのか不明だが、ところどころ、べたべたと粘着質のものがついている。二畳ほどの台所もまた悲惨なありさまだった。換気扇は真っ黒な油がもりあがってこびりつき、たぶんスイッチを入れてもファンはまわらないのではないか。ガス台も、油と埃と、食材の残骸がこびりついて、みんなまとまって黒い層になっている。どれだけ放置したらこれくらい汚せるのかと、部屋じゅうを眺めまわし小夜子は考えた。続いて入ってきた葵が、

「うひょー」と声を出す。

中年女に叱られるのではないかと小夜子はひやひやしたが、しかし彼女はふりかえり、

「葵ちゃんは見慣れてるだろ、あんたんとこだってこんな感じじゃないの」

笑いながら言った。この人、笑うんだ。小夜子はこっそり思う。

「ひどいなあ、ここまでじゃないよ」

「徹底的にしごきますから覚悟しなさいね」中年女は言い、小夜子に視線を移して「ここを掃除してもらいます」宣言するように言った。「はい、これがあなたがたの掃除用具。あなた、台所ね」女は小夜子に道具の入ったバケツを渡す。「葵ちゃんは風呂場とトイレ。十畳はそのあとね。あのね、主婦の仕事と違うんだから、風呂も台所も玄関も、全部ひとりでやる必要はないの。あなたはまず台所だけでいいし、あなたはまず風呂場だけ。それはどういうことかというと、それぞれ台所のプロ、風呂場のプロになりなさいということなの。これは研修なんで、風呂場も台所も、ベランダも何もかも教えるけれど、ここだけは人に負けないという場所を見つけなさい。はい！　子どもみたいに葵が二人の前に立ち、教師のような口調で中年女は言った。はい、返事」

返事をし、小夜子もあわててはいと答えた。

「言い忘れてたわ。私はアットホームサービスという掃除代行会社の代表をしています中里典子です。田村さんとはしばらくおつきあいすることになりますから、よろしくね」

女は小夜子に笑顔を見せた。

掃除をしろと言われても、どこから何をしていいのか小夜子にはわからない。とりあえず、バケツに水を溜《た》め、洗剤で流しを磨きはじめた。

「はい、流しより最初にやることがあるでしょう。頭あるんだからちゃんと使ってごらん」

するとたんに中里典子の声がして、ふりむくと背後で彼女は仁王立ちしている。

「お湯だって出るんだよ？　ほらこれ、これ、これ。取り外せるものは取り外して、洗剤を溶いたお湯でこびりついた汚れをやわらかくするのが先でしょうが。そのあいだに磨けるところを磨きなさいよ。はい返事」

はい、ちいさく言って、小夜子は流しに栓をして湯をためる。ゴム手袋はないのかとバケツをのぞきこむが入っていない。無数のちいさな雑巾や各種洗剤、割り箸や歯ブラシが入っているだけだ。

「あなた今手袋捜してるね」背後で中里典子の声が飛んでくる。「そんなものないよ。あのね、掃除で一番信用できるものはてのひらなの。自分のてのひら。汚れが残ってると、てのひらでこすったときにざらりとするからすぐわかる。全部汚れが落ちれば、つるっと、これはもう感触でわかるの。手袋なんかしてちゃ、わかんないんだそういうのは。うちの洗剤は天然素材使ってるからそんなにめちゃくちゃ荒れたりしない。手が荒れる洗剤なんてのは、汚れには強いけど、手が荒れるくらいなんだから人体には害なの、それを最近は手を抜いて強い洗剤をすぐ使うから」

中里典子は小夜子のうしろで腕組みをし、とうとうと言い募りはじめた。話を聞くためにふりかえろうものなら「はい手を動かしながら聞く」と注意されるので、はい、はい、と相づちを打ちながら小夜子は五徳をはずし、換気扇のファンを外し、流しにためた湯のなかにそれをしずめていく。何を持ってもべたべたと不快な感触が手に残る。働きはじめればすべてがうまくいくとあのときたしかに思ったはずなのだが、しかし本当にそうなのだろうかと、薄汚れた換気扇を湯にしずめて小夜子は思う。仕事内容はどうやら清掃業務らしい、と先日説明したとき、「なんだ、お掃除おばさんってわけか」と、小夜子には馬鹿にしていると聞こえる口調で修二は言った。かちんときたが、実際お掃除おばさんだ。だれが使ったんだかわからない五徳や流しを磨き上げて、義母にはうんざりするほど嫌味をあびせられ、ひょっとして今このときあかりは大泣きしているかもしれず、これで本当に何かがうまくいったりするんだろうか。

「はい力を入れないで」ガス台をスポンジで磨きはじめた小夜子の背後で、中里典子が間髪を入れずに言い、考えごとは中断される。「やさしく円を描くようにしてごらん」言われるまま、力をこめずスポンジで円を幾つも描き続けていると、だんだん手元が軽くなっていくのがわかった。中里典子は小夜子が要領をつかんだことを確認すると、風呂場にいって葵に指示を出している。葵がどうしているのか気になって、小夜子は台所から首を伸ばした。ドアで遮られ洗面所は見えなかったが、声は響いてくる。

「うげえ、もずくみたいのが出てきた」

「いちいち感想言わないでいい。それ全部割り箸でかきだして。かきだしたらこれをふりかけて、そのあいだに浴槽を磨く。はい返事」

「ふあーい、うえっ、くさっ」

「いちいち感想を言わないでよろしい」

漫才みたいに聞こえるやりとりに思わず吹き出し、小夜子はふたたびガス台や棚を磨きはじめた。そうするうち、汚れが完全にとれたという瞬間が、おもしろいようにわかってくる。油汚れの上で重苦しくまわるスポンジが、次第に軽くなり、そしてふっと、摩擦がなんにもなくなる。まるでそこだけまるく空洞ができたみたいに。スポンジをどけ、てのひらでステンレスをなでまわしてみる。中里典子が言うように、汚れのとれた部分は、てのひらの下でするりとなめらかにすべった。

汚れが落ちる瞬間がわかると、油まみれの台所の真ん中で、はいつくばって床や棚を磨き上げるのが、小夜子はとたんにおもしろくなった。洗剤をスポンジにしみこませ、床の一部にあてくるくるとただひたすら円を描き続ける。こびりついた油の層が薄くなるのに比例して、頭のなかがどんどん真っ白になっていく。くどくどと続いた義母の嫌味が消え、保育園の待機リストが消え、働くことが正解だったか否かの問いが消え、ただぽかんとした空白が広がる。その空白が、いつまでも身を置いていたいような心地よいものに小夜子には感じられた。

部屋の掃除は完了しなかったが、その日の作業は五時前に終了した。葵と小夜子が乗りこんだバンは、きたときと逆のコースをたどり、午前中に降ろした女たちを乗せつつ中野駅へ向かう。女たちは一様に疲れ切った表情をしている。

小夜子は運転席のうしろでせわしなく時計を見た。一度事務所に帰って、作業日誌を書くように葵に言われていた。今から事務所にいくと着くのは早くて六時、日誌を書いて事務所を出るのは六時半……義母には、六時まではあかりを迎えにいくと言ってあった。

「ちょっと、電話していいですか」静まり返ったバンのなかで小夜子はおそるおそる声を出した。

「どこ電話すんの？」助手席に座っていた葵がふりかえる。

「あの、義母に子どもを預けてあって……ちょっと遅くなりそうだって言っておかないと、いろいろうるさいんですよね」

義母の嫌味を想像し、果てしなく落ちこみそうな気分をもりあげるため、小夜子はわざと軽い調子で言った。

「それじゃあさあ、田村さん、日誌は家で書いてきてもいいよ。中野から直帰したほうがいいんじゃない？」

「いいんですか？」

「いいよ、日誌書くだけだもん。ギボって姑《しゅうとめ》でしょ？　田村さんの姑ってうるさい人なの？」

　ふりかえった姿勢のまま、葵は漫画の続きを知りたがる子どもみたいな顔で訊いた。

「うるさいっていうか、嫌味言うんですよ、もうそれがすごいのなんのって」

　ほかの女たちを気にしながら、小夜子は葵に顔を近づけ小声で言った。しかし葵は、

「うへ、嫌味言うんだ、そんなやつ、ぶっ飛ばしてやれ！」

　こぶしを突き出して、真剣な顔で言った。黙ってそれぞれの方角を向いていた車内の女たちがぎこちなく顔を見合わせたあと、いっせいに声をあげて笑い出した。中里典子までハンドルに突っ伏して笑っている。車内を満たしていた疲労感がふと霧散し、うち解けた空気が流れる。

「ほんとだよ、ぶっ飛ばしてやればいいんだよ」金髪の女の子が笑いながら言い、

「ぶっ飛ばせたら苦労はいりませんよ」童顔の女が言い、

「いいや、今の女は強いんだから、それくらいできるはずだよ、あたしたちなんか、じいっと我慢するしかなかったもんね」初老の女が苦労話を語りはじめる。運転席の中里典子は笑いがおさまらないらしく、運転しながら小刻みに肩を揺らしていた。

ほかの女たちとともに中野駅で降り、小夜子はお辞儀をして改札口に駆けだした。呼び止められ、ふりむくと、

「お疲れさま！　田村さん、ばあちゃんなんかに負けんなよ！」

こぶしをふりまわしながら葵が叫ぶ。名前も知らない女たちも笑いながら手をふっている。深々と頭を下げて、小夜子は改札をくぐった。ホームを駆け上がり下り電車に飛び乗って、額から流れ落ちる汗を拭《ぬぐ》う。ばあちゃんなんかに負けんなよという葵のせりふを思い出し、小夜子はこっそりと笑った。社長という言葉から自分が想像したのはブランド品と貴金属で飾り立てた女だったように、葵が想像しているのは、漫画やメロドラマに登場するような世界なんだろうな、と思った。嫁と姑がわかりやすくバトルをくりかえす類《たぐい》の。

向き合ったガラス窓に薄く映る、髪の乱れた自分の姿に、負けんなよ、と小夜子は口のなかでつぶやいてみた。

明くる日、中野駅の銀行前には見覚えのある顔が立っていた。葵ではないのかと、自分でも意外なほど小夜子はがっかりした。採用が決まった日に紹介されたプラチナ・プラネットの社員だというのはすぐに思い出せたが、名前が出てこない。とりあえず、こんにちは、よろしくおねがいしますと、ずいぶん若く見える彼女に小夜子は頭を下げた。

若い女はぺたりと小夜子に近づいて、

「ねえねえ昨日もいったんだよね、どうだった、きつい？」

親しげな口調で訊いてきた。

曇り空の下、九時五分過ぎに中里典子のバンはロータリーに走りこんできて、小夜子は若い社員とともに乗った。バンのなかには、昨日とは異なった顔ぶれが座っている。小夜子の隣に座った若い社員は、声をひそめひっきりなしにしゃべりかけてきて、小夜子はそれに適当な相づちを打ちながら、彼女が岩淵さんという名だったと思い出す。前は出版社でアルバイトをしていましたと挨拶した、二十代半ばの女の子だ。

小夜子と岩淵さんが連れていかれたのは、昨日と同じ現場だった。小夜子は台所、岩淵さんは部屋の掃除をそれぞれ命じられた。中里典子は岩淵さんにつきっきりで指導している。天井の埃ははたいたって落ちないんだから頭を使いなさいあるでしょ頭、だの、カーペットは拭くんじゃなくてたたく、はい返事、だのと、奥の部屋から聞こえてくる声を聞きながら、まだ落ちない換気扇の油汚れを小夜子はヘラでこすり続けた。

「あーもう疲れた、まいっちゃう、聞いてないよこんなの、信じられない、マジ？っ
て感じ」

昼食をとるために入ったファストフード店で、座席に着くなり岩淵さんは切れ目なく愚痴った。

「見て、お化粧どろどろに落ちてない？　あっ、そういえば田村さんお化粧してないね、なんだ、ちゃんと教えといてよー、重労働だって」

岩淵さんはファンデーションのたしかに落ちた顔を突き出し、真顔で文句を言い連ねる。小夜子は曖昧にうなずき、ふやけた指でハンバーガーの包み紙をほどいた。

「あたし、マジで楢橋さんに談判して長谷川さんとかとかわってもらおうかな。あたし、腰弱いんですよ。か弱ぶってるんじゃなくて、なんか先天的に背中のね、骨が悪いんです。楢橋さんも、なんていうかおおざっぱで、仕事の説明とかちゃんとしてくれないんだもん」

岩淵さんはべらべらとしゃべる。初対面のときは、こんなによくしゃべる女の子だとは思わなかった。岩淵さんが黙るのはハンバーガーに食らいついているときだけで、咀《そ》嚼《しゃく》中も飲みこむときも話し続ける。降りやまない雨みたいな岩淵さんのおしゃべりに、小夜子は曖昧な相づちをうち続けた。

「それってあたしが信頼されていないからなのかもしれないけど。でもね、うちの社長ってあんまり将来設計とかきちんとできないタイプの人だと思うんですよ、なんか学生気分が抜けないっていうか。山口さんがいるから経営とかなんとかなってるんだと思う。楢橋さんこんなのどうって声かけられると、すぐほいほいのっちゃうんですよ社長って。年下のあたしが言うのもなんだけど、もっのっすごいいい加減。結局、あの人就職経験とかないんだもん。あたしはこれでも、五年は大手出版社にいたから、甘いなーとか思うことたくさんあるし」

小夜子は、自分たちの姿が壁に貼りつけられた鏡に映っていることに気づいた。背の低いわりにがっしりした体格の岩淵さんは、ファンデーションが汗で流れところどころムラになっていて、ブラウスの脇の下にしっかりと汗染みが残っている。彼女の向かいにいる自分はといえば、髪がぺたりとはりついてワカメをかぶったようになっており、化粧をしていないせいで半病人みたいな顔色をしている。

「あの社長、けっこうすごい人なんですよ、田村さんは知らないだろうけど」

小夜子が上の空であることに気づいて、岩淵さんは小夜子をのぞきこみ声をひそめる。

「すごいって？　やり手ってこと？」小夜子は訊いた。

「ちがうって。すごい過去の持ち主なの。新聞に載ったこともあるんだって」

「天才少女とか、そういう？」岩淵さんの話しかたは気にさわったが、興味が勝って小夜子は訊いた。

「まさか。天才に見えます、あの人？　そうじゃなくて、波瀾万丈な人生歩《あゆ》んでんですよ。新聞に載るっていったら、事件とか事故とかなんじゃないですか」

ケチャップのついた指をなめながら、得意気に岩淵さんは言った。小夜子はさらに訊こうと口を開いたが、しかしそれより先に店内の時計が目に入った。

「岩淵さん、そろそろ戻ったほうがいいかもしれない」

小夜子は腰を上げ、トレイの上の包み紙や紙コップをまとめはじめる。岩淵さんは長いため息をついてみせた。

自分がときおり、何もかもうまくいかないと悲観的に思いこんで、外に出ていくことがとことんいやになってしまうのは、岩淵さんみたいな女性が原因なのだ、と、ヤニと脂のこびりついた壁をスポンジでこすりながら小夜子は考える。たとえば学生時代も、もっとさかのぼった少女時代も、数年前まで勤めていた映画配給会社でも、岩淵さんみたいな人はいて、自分にすっと近づいてくる。まったく垣根のないような気安さで、だれかれと境なく悪口を吹きこみ、それに賛同するようあおり、けれど気がつけば自分自身がやり玉にあげられていたりする。このあいだは消えかけた疑問が再度頭をもたげてくる。保育園の待機リストにあかりの名をのせてまで、働くことに意味があるのだろうか。放っておくとどんどん強くなるその疑問に蓋《ふた》をするように、小夜子はスポンジで円を描き続けた。スポンジの下で油汚れはなかなか溶けず、泡立てれば泡立てるほどスポンジは重くなる。ほらそういうところは割り箸を使う、あんたの太い指なんか入るわけないでしょう、はい返事、奥から中里典子の苛立った声が聞こえてくる。

中野駅で降ろしてもらい、岩淵さんとともに事務所に戻った。岩淵さんは腰が痛いと連発し、なぜこのビルにエレベーターがないのかとくりかえしながら、小夜子のあとに続いてだらだらと階段を上がってくる。時計を見ると四時半である。日誌を書いて事務所を出るのはたぶん五時、五時半にはあかりを迎えにいける……そんなことを考えていた小夜子は、三階の踊り場で降りてきた男とぶつかった。

「すみません」

あわてて言って顔を上げると、立っていたのは見覚えのある若い男だった。あー、木原くん！　背後で岩淵さんが声をあげ、やはり採用が決まった日に紹介された男だと思い出す。社員ではなく、忙しいときに手伝ってもらう男の子だと葵は紹介していた。

「ああ、お疲れ。今帰り？」

木原は親しげな笑顔で言い、その場に立ち止まる。

「そうなの一、もう、最悪。ひどいよ楢橋さん」岩淵さんが声をあげた。

「どんな仕事なんですか、田村さんがやってるのって」コンクリートの手すりにもたれ、木原は小夜子に訊いた。小夜子が答えるより先に、

「掃除掃除、それがさあ、聞いてよ木原くん、あれ完全に肉体労働」

岩淵さんは言いながら階段にしゃがみこんでしまう。

「田村さんを筆頭にして掃除集団作ろうとしてんのかなあ」

「楢橋さん、初日にいってどんな仕事か知ってたはずなのに、なんにも教えてくれない

んだもん、あたし腰悪いからさあ」

二人は長話をする態勢に入っている。小夜子は腕時計に目を落とし、話す二人を交互に見ていたが、終わりそうにない。すみません、お先に……ちいさい声で告げて、ひとり階段をのぼりはじめた。木原から声をかけられふりむくと、

「掃除の話、今度聞かせてください」

笑顔を見せて手をふっている。木原のその愛想のよさは、なぜか小夜子を苛立たせた。軽く会釈だけして先を急ぐ。掃除の話ならあたしが全部話したげるってー。間延びした岩淵さんの声が聞こえてくる。

事務所には葵ひとりがいるきりだった。葵はダイニングルームのテーブルに座って何か作業をしており、入ってきた小夜子を見て、

「おう、おつかれー」

学生のような挨拶をした。

「すみません、どの机を使えばいいでしょうか」

ダイニングルームに突っ立って小夜子は葵に訊いた。葵は無言で自分の向かいの席を指さす。ダイニングテーブルは、CDや雑誌、ビデオやポストカードであふれかえっている。小夜子は葵の正面に腰かけ、あふれかえったものを少しよけてスペースをつくり、鞄《かばん》から取り出したノートを広げる。部屋のなかはしんとしずまりかえっている。葵は煙

草をくわえ、片手でライターをもてあそびながら小夜子の広げたノートをのぞきこんでいる。

「今日も典ちゃんこわかった？」葵に訊かれ、

「こわいのこわくないのって」小夜子は笑って答えた。

「あの人ねえ、前ふつうの奥さんだったんだよ。私たち、旅先で出会ったの。典ちゃん、ツアーからはぐれちゃって、私はひとり旅だったんだけど、パニクって声かけてきたの」

煙草に火をつけ、葵は話し出す。

「子どもできなくて、悩んで、そんで友達と共同で家事代行業はじめたんだよね。はじめたとたん、妊娠しちゃって。最初会ったときは、控えめな奥さんって感じだったのに、会社はじめて、っていうよりおかあさんになってからかな、肝っ玉キャラに変身しちゃったんだよね」

ノートから顔を上げ、小夜子は葵を見た。

「中里さん、お子さんいるんですか」

「小学校一年生と、幼稚園の子。ひとり産んだら、すぐ次もできたんだって」

「そんなにちいさいお子さんが」小夜子は驚いて言った。

「遅くに産んだからね。私に言うんだよね、ほしくないならいいけど、もしほしいならできるだけ早く子ども産めって。体力がさ、二十代、三十代、四十代では全然違うんだって。中里さんは四十近くなっての子どもだし、仕事もはじめたばっかりだったから、ほんと、たいへんそうだったよね」

へえ、と話に聞き入っていた小夜子は、時計を見てあわててノートに顔を落とした。急いで文字を書き連ねていく。

「そうだ、田村さん、異業種親睦会って名目の飲み会を月一でやってるんだけど、今度こない？　田村さんの歓迎会も兼ねるから。都合のいいときがあったら教えて」

小夜子は顔を上げた。「夫に相談してみないと……」言いながら、買いものの程度の時間は別にして、あかりを夫に預け家を空けたことが、この三年間まるでなかったことに気づく。果たしてそんなことができるのか。

「そっか、そうだよね。大丈夫そうだったら教えてよ、土曜日でもいいしさ」

葵はそう言って、テーブルに積まれたCDやビデオを段ボールに詰めこみはじめた。

土曜日なら修二はあかりの面倒を見てくれるのではないか。早い時間にはじめてもらって、途中退席すれば問題ないのではないか。ノートに文字を書き連ねながら、気がつけばそんな算段をしていることが意外だった。知らない人たちとお酒を飲むなんて真っ先に敬遠しそうなのに、参加したがっている自分がいた。同い年で会社を経営する葵、肝っ玉かあさんに変身した中里典子……もっといろんな人を見てみたかった。言葉を交わしてみたかった。働くと決めたことは間違ってないと、だれかに強く肯定されたかった。

あ、雨。葵が言い、小夜子は開け放たれた和室の窓に目をやった。相変わらず雪崩《なだれ》を起こしそうな文机の前、大きな窓に雨粒がひっきりなしにはりついては流れている。

4

「シナモンココアとバニラアイスのクレープ」ナナコが言い、

「シェーキーズのシーフードピザ」葵が言い、

「サザビーのリュック」ナナコが言い、

「そんなん言うなら、あたしフランドルのワンピース」葵が言う。

「ちょっとー、それじゃ欲しいもの合戦になっちゃうよー、好きなものを言い合おうって言ったのに」ナナコは言って、手元の雑草をちぎり、寝転がった葵に投げつける。

「きゃあ、やめてえ」葵はふざけて叫び、ごろごろと草の上で回転して笑う。

「じゃあ、も一回。卵かけごはん」ナナコはスカートの中身を隠そうともせず体育座り

をして言い、

「うーん、じゃあ『星の王子さま』」草の上に寝そべった葵が言い、

「乙女ねえ。あたしはデビッド・ボウイ」ナナコは細長い草をちぎっては投げて言い、

「佐野元春」葵は言う。

「げえー、佐野元春ぅー、困った人だねえ、アオちんは。あたしは元春よりナイアガラとかのがまだいいかな」ナナコは体育座りしていた足を伸ばし、倒れこむように草の上に寝そべる。

「でもサザンはいいよね」

「うんまあ、サザンは好き」

「嬬恋《つまごい》にこないかな。ねえ、嬬恋って近いんでしょう、こっから」

「げー、もうアオちんなんにも知らないんだね、嬬恋なんか遠いよー。まったく都会の人は同じ県だっつーと全部近いと思ってるんだもん。草津も水上も北軽もぜーんぶいっしょくたなんだから」

ナナコは言って、また雑草をちぎって葵に放った。ぱらぱらと葵の顔に細長い草が落ちてきて、葵は笑う。二人が黙ると、川の流れる音が急に大きく響く。磯子が都会だとは思っていなかったが、ナナコの「まったく都会の人は……」という言いかたを葵は好きだった。なんだか、自分がとてもよいものに思えるのだ。とても価値のあるものに。

寝そべっていると、視界は一面空である。厚みのある雲が、気づかれないような慎重さで、ゆっくりと移動している。

「あーあ」

突然隣に寝そべったナナコが大声を出し、葵はそちらに首を傾ける。雑草が耳元でちりちりと痛い。

「何」

「嬬恋も遠い、北軽も遠い、前橋も高崎も遠い。東京なんかもっと遠い」

歌うようにナナコは言った。

「そんなに遠くないよ、高崎までいけば、東京なんか一本で、ぴゅっといけるじゃん」

ナナコは葵を見る。草に埋もれてナナコと葵はしばらくおたがいを見る。

「なんかお腹空いた。なんか食べてかない？　たこ焼きか、安丸のラーメンでもいいな」

ナナコはふと視線をそらして言い、立ち上がった。膝上丈のスカートをせわしなくはたき、土埃と枯れ草がちかちかと陽の光を受けながら、葵の目の前を流れていく。

「あたしケーキ食べたい。はせがわのケーキセットとか」

立ち上がりながら葵は言った。目の前には河川敷が広がり、川が流れている。川には青空が映っている。

「ケーキセット食べるお金はあたしにはないざんす。上限三百五十円」

「うわ、貧乏」

「じゃあおごんなさいよ」

「やだよそんなのー、じゃあたこ焼きにしよっか。ラムネならおごったげる」

「やったー」

黄色いバッグを斜めがけしたナナコは飛び跳ねるようにして川沿いの道を歩く。絶えることのない川の音を聞きながら葵はナナコのうしろを歩く。川の向こうには田畑が広がっていて、そのずっと向こうにいくつか建物が密集しているが、高い建物はほとんどない。せいぜい四階か五階建てだ。

学校の前のバス停から、家とは反対側に向かうバスに十分ほど乗る。街道沿いのバス停で降りてさらに歩いていくと、渡良瀬《わたらせ》川に出る。土手があり、河川敷があり、その向こうにところどころ岩の突き出た川が流れている、どこにでもある川べりに葵には思えるのだが、けれどここがナナコの言う隠れ場所なのだった。ほかの学校の生徒はめったにこないし、人通りがなく、雨が降れば橋のたもとまでダッシュで三分、それに、ここから見える空が一番大きいのだと、はじめて葵を連れてきたときナナコは得意気に説明した。川を渡ると向こう側に廃線になった鉄道線路が草に埋もれていて、葵は橋のたもとより広い空より、そこが好きだった。廃線跡なんて陰気だとナナコは言うけれど、草のなかの線路をたどっていると、どこにでもいけそうな気がするのだった。

葵はナナコの背中を見つめながら川沿いの道を歩く。羽虫が耳の近くを飛び、手でふりはらうより先にどこかへ飛んでいった。向こうから、あんパンみたいな色をした犬を連れた老人が歩いてきて、すれちがう。ナナコは何かの歌を低くハミングしている。

夏休みが終わり二学期がはじまると、四月になんとなくできたグループは、ずっと強固なものになった。席が近かったからたまたまひとかたまりになったにすぎない葵のグループも、不思議な結びつきを見せている。音楽や好きな本の趣味が合うわけでもないし、服装や髪型が似ているわけでもなく、共通の話題などほとんどないに等しいのに、しかしみんなどこか懸命になって一緒に行動するのだった。そして葵も懸命になって、そのグループから弾《はじ》き出されないようにしていた。理解不能な野沢慶子のアニメ話に相づちを打ち、平林可奈から好きでもない芸能人の写真集を見せてもらい、下平奈津恵が持ってくる少女漫画を借りて読み、気が滅入《めい》るような病気話を高野麻美子から聞いていた。

ほとんど毎日のようにナナコと会い、放課後の時間をともにすごし、手紙のやりとりをしたり、電話で話したりしているのに、学校で葵はナナコとつるむことはしない。ナナコは相変わらずどのグループにも属さず、だれとでも話し、必要に迫られると適当なグループにまじって笑っていた。そんなナナコと校内にいるときも一緒にいたかったけれど、けれどそれは危険だと葵は判断していたのだった。ナナコはいつか、八方美人だとかコウモリ女だとか変人だとか言われ、クラスメイトたちから村八分にされるに違いないと葵はうっすら思っていた。ナナコといることで、自分もそのとばっちりを受けることがいやだったのだ。

そういう自分のせこい計算を葵は自覚していたし、嫌悪もしていた。いっそのこと、ナナコが怒ってくれればいいのにと思ったりした。あんたのやってることはずるいとか、コウモリ女はあんただとか責めて、もう二度と遊ばないと宣言してくれれば、と。けれどナナコは、グループで行動している葵には決して近づいてこず、放課後に校外で会うような葵の卑怯《ひきよう》さについても何も言わなかった。

「ねえねえ、もうすぐ冬服にかわるんだよね、あたし、冬スカートは今度こそ裾あげしてもらおうと思って。どっかお店持ってって」

葵をふりむいてナナコが笑う。

「そしたらさ、ジャケットの裾も少し短くしたら？　そういうの、いくらくらいかかるのかわかんないけど」

「えー、ジャケットは長いほうがかわいいんじゃないかなあ。ワンサイズ大きいのが欲しいけど、うちの親ジャケットはまだ着られるからって絶対買ってくれないな」

自分の名前を呼ばれた気がして、葵は足を止めふりかえった。ナナコは気づかず、どんどん先を歩いていく。数十メートル先にのろのろ走るタクシーが見えた。父親のタクシーだと、葵はすぐ理解した。父親は窓を開け、葵の名を呼んで手をふっている。みっともない、と葵は思った。タクシーはどんどん近づいてくる。タクシーに乗っている父親を、ナナコに見せたくなかった。

「あっ、バスだ、走ろッ！」

タイミングよく、先をいくナナコのずっと先にバスの屋根がちらりと見え、葵は大声を出した。もう夏は終わったのに、近づいてくるバスはゆらゆら揺れている。おおい、アオちゃーん！　父ののんびりした声が背後から聞こえる。葵はふりむかず、ナナコを追い越し、ナナコの手を引いてバス停まで走った。無視されたことに気づいたのか、父はそれ以上葵の名を呼ばない。

バスに乗って一番うしろの席に着き、肩で息をしながら、葵は父のタクシーがバスの横を通りすぎていくのを確かめた。

「はー、間に合ったー、アオちん速いね、走るの」

隣でナナコも息を弾ませている。

父に会ったってナナコは何も言わないだろうに、自分は何を必死に隠しているんだと、うしろの窓をふりかえり、遠ざかるタクシーを見つめて葵は思う。ナナコは何も言わない。客寄せのために内部をごてごて飾りつけしたタクシーに乗っている父を見ても、せこい計算をしている卑怯なあたしのことも。いや、何も言わないというよりも——と、前を向き、息を整えて葵は考える。だいたいナナコはなんのことも悪く言ったりしないのだ。もちろん嫌いな教師の悪口は言うし、この町の窮屈さを悪し様《あざま》に言い募ったりはする。けれどたとえば、嫌いだという表現よりは好きだという言葉を使う、できないという表現をせずしたいのだと言う、むかつくと言うときには必ず相手を笑わせる、そういう全部が、しかしいい子ちゃんぶっているようには感じられない。たぶん意識もせずにそういう言いかたをしているんだろうから、きっと、ナナコという子は、きれいなものばかりを見てきたんだろうと葵は思う。汚いこと、醜いこと、ひどいこと、傷つけられるようなことを、だれかが慎重に排した道をきっと歩いてきたんだろう、と。

ナナコは決してネガティブにものごとを捉えないということに葵が気づいたのは、母親の変化のせいだった。ここへ引っ越してきて半年、母は仕事先を見つけ、平日の九時から四時まで働いている。半年前から比べると、母はずいぶん違ってしまったように葵には見える。

「帰り、遅いんじゃないの」台所で明かりもつけず作業していた母は、帰ってきた葵を見てとくに興味もなさそうに言う。「着替えたら手を洗って、手伝ってちょうだい」

はーい、とわざと明るい声で返事をし、葵は階段を駆け上がる。自室のドアを閉め、西日が射しこんで橙色だった台所と、そこに立つ母を思い浮かべ、葵はため息をつく。脱いだ制服をハンガーにかけ、トレーナーとジーンズに着替えて階下に降りていく。

「わあっ、今日は餃子か、うれしいな、なんか最近老人食みたいなごはんばっかりだったじゃん」

葵は言い、流しで手を洗う。明かりはまだつけられておらず、部屋を染める橙色はさっきよりどぎつさを増している。

「だってAストアの肉とか魚とか、ひどいじゃない。あんな色のかわったものをよく売ってるわよね、老人食なんていうけど、野菜だけだもの、悪くなってないのは。それでも今日のニラ、ひどかったんだから。しなびてて、なんだか家畜の餌《えさ》みたい。ねえ、この町の人ってなんにも思わないのかしらね。それとも、生まれたときからああいうのしか見てないから、なんにも思わないのかしらね」

母は餃子種を片手でこねながらとつとつとしゃべり、そこでようやく言葉を切って、

「あ、バット出して、餃子作って並べていって」

台所にぽつねんと立つ葵に指示を出した。

「ねえ、このへんでさあ、スカートの裾あげやってくれるところってある? 岩橋クリーニングとか、どうかな」

食卓につき、目の前に出されたボウルからスプーンで種をすくい、餃子の皮に包んで

葵は言う。言いながら、選ぶ話題を間違えたと思うが、しかしもう遅い。母は話しはじめている。

「洋服なおしだって、めったにないのよ、ちゃんとしたところ。岩橋クリーニングなんか、やってるのおじいちゃんじゃないの、しかもあそこクリーニングべらぼうに高いのよ、馬鹿にしてんのって言いたくなっちゃう。ほら、前はさ、うちはずっと白洋舎だったじゃない、あそこはよかったわよね、仕事もていねいで、腰が低くて。まあブランドだけど」

それがどのような意味であれブランドという言葉を、たとえば以前の母は使わなかった。白洋舎は近所にあったから利用していたクリーニング屋だし、閉店間際の西友スーパーに駆けこんで、割引になっている牛肉を争って買い、自分のやりくり上手を得意気に自慢する母だった。

葵は立ち上がり、食堂の明かりをつけた。どぎつい橙色はすっとその気配を消す。おとうさんにさっき会ったけど今日は帰ってくるの、と言おうとして、あわてて言葉を飲みこむ。それもあまり適切な話題とは言えない。

「アオちゃん、マカロニサラダとポテトサラダとどっちがいい」母が訊き、

「うーん、じゃマカロニ。キュウリの入ってるやつ」葵は答えたが、

「はいよ」と受けた母が冷蔵庫から出しているのはジャガ芋である。葵は何も言わず餃

子を作り続ける。

陰気になった、愚痴っぽくなった、以前の、少しピントのずれたような陽気さが失われつつある——母の変化を説明するとそういうことになるけれど、しかし葵がもっとも違和感を覚えるのは、母の記憶のすりかえである。磯子で、まるで大企業の社長夫人のような暮らしをしていたかのように、母はどうやら記憶しているらしいのだ。洋服はデパートでブランドものを買い、食材は外資系スーパーでやはりブランド名のつくものを買い、買いものの行き来はタクシーで、週末は親子三人有名店で外食をし、平日はカルチャーセンター通いと奥さん仲間とのランチで忙しい——そんなことばかり口にするので、ときおり、本気で母はどこかねじがいかれてしまったのかもしれないと葵は不安になることがある。しかしそういう記憶違いの数々を語ったそのすぐあとに、「それに比べこの町は」と続くわけで、だからかろうじて母は正気を保っていると葵は理解する。この町をこきおろすためなら、母はどんな妄想も錯覚も厭《いと》わずに抱くのだ。

夕食の時間になっても父は帰ってこなかった。食卓で母とふたり、葵は夕食を食べる。テレビはうるさいくらいの音量でつけ放しになっているが、不思議と部屋は静まり返っているように思える。

「どう、ホテルの仕事は慣れた？」

沈黙に耐えられず葵は口を開いた。母は最初ゴルフ場でパートをはじめたのだが、何かが気に入らなかったらしく三カ月で辞め、先月からビジネスホテルで働いている。「慣れるも何も……」母はテレビに顔を向けたまま口を開く。「ああいうことはあたしは本当は苦手だけど、でもしょうがないわよね。こんなところじゃ、事務も経理もないもんね。ホテルのパートのおばさんたちも、なんだか品がないっていうか、噂好きで、だれがどうしたとかこうしたとかって、そんな話ばっかり。程度が低いっていうのかなあ」

葵は箸を置き、母に聞こえないようにため息をついた。食堂の窓には、ぺたりと闇がはりついている。テレビではコマーシャルが流れている。

「あら、もう食べないの？　ダイエットなんてやめなさいよ、あれは成長も止めちゃうらしいから」

葵の茶碗をちらりと見やって母は言う。母は箸を持ったままの右手でリモコンを引き寄せ、チャンネルをかえている。

「ね、今年の冬休み、スキーにいきたいな。車ですぐって聞いたけど。おかあさんはできるんでしょ、スキー」

半分ほどごはんの残った茶碗を取り皿に重ね、葵は流しに運ぶ。

「まだ九月なのにもう冬休み？　アオちゃん、ひょっとして学校いやなの？」

ぼんやりした顔で母は言い、箸を宙で止めたままじっとテレビに見入っている。サスペンスドラマのテーマ曲が、暗い台所に流れてくる。

「何してた」

コードをひっぱって電話の子機を自分の部屋に持ちこみ、葵は電話の向こうのナナコに訊いた。

「今？　あたし本読んでた」

ナナコの声の背後はいつも無音だ。ナナコの家にいったことはないけれど、広くて、静まり返っていて、家の人は留守がちなんだろうと葵は思っていた。まさかナナコも、自分のように電話のコードをぎりぎりまでひっぱって自室に持ちこみ、しかしベッドまでは届かず、閉めたドアにぴったり体をはりつけて話しているはずがない。けれどこの二階の電話も、無理を言って取り付けてもらったのだった。

「本って、なんの」

「アオちんに借りたやつだよー、赤頭巾ちゃんってタイトルの。赤頭巾の話かと思ったら、東大を目指すとか目指さないとかの、男の子の話じゃん」

「でもおもしろいでしょ」

「うーん、でもあたしやっぱ字とか苦手。絵がないと読めないかも」

ナナコは子どものように素直な声を出す。さっき別れたばかりなのに、ナナコに会いたいと葵は思った。母のため息が水のように浸食するこの家から抜け出して、どこかはなやかな、負の影がまったくないような場所で、ナナコと笑い転げたい。

「そんでさ、アオちん、土曜日の待ち合わせはどこにする？　花沢書店？」

「うん、そうしよ。なんにも買えないけど、いろいろ見て歩こ」

「買えなくても、あたしアオちんと見てるだけで楽しいからべつにいいよ」

葵は黙り、ナナコも黙る。いつもそうだ。何か用があるわけではないのに、どちらからともなく電話をしあい、結局いつも沈黙していたりする。けれどナナコとのあいだに流れる沈黙は葵には苦にならない。しゃべらなくてはという強迫観念がわいてこない。葵は耳をすませ、電話コードから漏れてくる、ナナコの静かな息づかいを聞く。ナナコがいるであろう場所を、見ているであろうものを思い描く。

「ねえアオちん、子どものころ『赤毛のアン』ってアニメ見てた？」突然ナナコが言う。

「えー、見てない。でも本は読んだよ」

「あのね、ダイアナっているでしょ、アンの美人の友達。アンとそのダイアナんちって、離れてるんだけど向かいあってんの、そんで、電話とかないじゃん、だから夜にふたりはさ、それぞれランプを持って自分の部屋の窓際に立つの。そんでね、本をランプの前にかざして、信号を送るの。ぴかっ、ぴかっ、って明かりが点滅するように」ナナコは静かな声で話す。

「えー、あったっけ、そんな場面」

「本はわかんないけどテレビではやってた。ふたりで窓際で、遠くで点滅する明かりを、お互いずっと見てるの」

「へええ」

葵は言って、黙った。ナナコも黙る。沈黙が行き交う。明かりをつけていない部屋の窓を、葵は見上げる。夜空だけが見える。星がいくつか見える。

「あたしたちのうちでも、できればいいのに。懐中電灯とかで」葵は言う。

「でも今は電話があるじゃん」ナナコは言って、笑う。

いつまでも長電話をしないでちょうだい、と、階下から母親に怒鳴られた。葵はあわてて通話口を押さえようとしたが、しかしナナコに聞こえてしまったらしく、

「じゃあ、また明日、放課後ね。いつものところでね。バハハーイ」

ナナコは明るく言って電話を切ってしまった。耳元でくりかえされる不通音をしばらく聞いて、葵はドアを開け受話器をもとに戻す。男女が激しく何か言い合うサスペンスドラマの音声が、二階の廊下にきんきんと響いている。

十月に入り、冬服の紺色が校内を埋め尽くすころ、それまでさほど変化のなかった葵のクラスに、微妙な空気が漂いはじめた。それをどのくらいのクラスメイトが嗅《か》ぎ取っ

ているのかわからないが、しかし葵は敏感に感じ取っていた。何か嫌な予感がしていた。

そしてあるとき、それは起こった。

昼休み、平林可奈が購買部に買いものにいっているとき、葵たちのグループに進藤春花が近づいてきて、言った。

「ねえ、平林さんてちょっと変《へん》くない？　あの人、あたしがオザキのレコード持ってたら、貸してっていって借りたまま、ずうっと返してくれないの。あの人ってオザキのファンなんでしょ？　なんで自分で買わないのかなあ、レコード」

進藤春花は葵たちの地味なグループではなく、五人ほどで形成されている少々はなやかなグループの人間だった。禁止されている色つきリップを塗り、バンドエイドでピアスの穴を隠し、わからない程度に髪の毛を脱色し、最近になってみんなスカート丈を短くし、校門を出るやいなや紺色のハイソックスにはきかえるようなグループで、そういう女の子に話しかけられたことで、野沢慶子も高野麻美子も下平奈津恵も、緊張気味の表情で顔を見合わせる。

「だってあの人の親、ケチだもの」野沢慶子が言い、葵は驚いて彼女を見た。頰を紅潮させ、生真面目な顔で野沢慶子は続ける。「上履きだって買ってくれないくらいだから」

そしてくすっと笑った。

「あー、だからあの人、あんなぼろっちい上履きはいてんの？　あれ、くさいんだよね、あたし、靴箱真上だからさあ」

片手で毛先をいじりながら進藤春花は言い、ちらりと教室のドアを見やり、

「あ、お帰りだ。ねえ、言っといてよ、レコード返してって。あんたたち、友達なんでしょ」

それだけ言って自分のグループに戻っていった。教室の後ろで輪になった進藤春花のグループから笑い声が漏れる。野沢慶子と高野麻美子と下平奈津恵は、熱のこもったような視線をかわしあっている。葵は、目の前の光景がどんどん遠のいていくような錯覚を抱く。

「もうー、あったまくるー、調理パン全部売り切れでポテチしかなかったー、わびしー」

平林可奈は笑いながら言って、ポテトチップスの袋を手に、葵たちの輪にくわわる。進藤さんがレコード返してって言ってたよ、とだれかが言うんだろうと葵は思っていた。しかしだれも何も言わない。平林可奈は、その場に広がる微妙な空気のずれに気づき、

「どうしたの、お弁当食べようよ、待たせて悪かった悪かった」

明るく言って椅子に座った。

「売り切れだったんじゃなくてお金なかったんじゃないの、パン買うお金」野沢慶子が低くつぶやき、葵は耳を疑った。「ね、今日は中庭でごはん食べよ」彼女は命令するよ

うに言い捨て、平林可奈をおいて歩き出す。何か打ち合わせをしていたように高野麻美子と下平奈津恵もそれに続き、呆気《あっけ》にとられていた葵も、あわててそのあとを追った。教室を出るときちらりとふりかえると、ぽつんとひとり席についた平林可奈が、呆然《ぼうぜん》とした顔で自分たちを見送る姿が肩越しに見えた。

おそれていたことがどうやら起きつつあるようだと、五時間目、黒板を眺めて葵はぼんやりと考えた。それにしても、いつもうれしそうにアニメの話ばかりしている野沢慶子の、あの一瞬の豹変《ひょうへん》はすごかった。ひょっとしたら彼女も、かつて仲間はずれにされたことがあるのかもしれないと葵は考える。仲間はずれにされたことがある人は、ふたたびそうならないためならなんだってする。学校ではナナコと絶対話さない自分のように。

葵は黒板から顔をそらし、窓際の席に座るナナコをふりかえった。ナナコは片手で頬杖をつき、窓の外を見つめている。何があるのか、ずいぶん熱心に見入っている。なんて清潔な横顔だろうと、まるで絵画や写真を前にしたように葵は思った。教師の読みあげる小説の切れ端が遠く聞こえる。ナナコは視線を感じたのか、窓から目をそらし葵のほうを見る。目が合った。ナナコは即座により目をし舌を出してみせる。

「なんか、クラス、やな感じになっちゃったね」

川沿いの草むらにビーチマットを敷き、焼き鳥やたこ焼きや、ドーナツやチョコレート、買ってきたものを次々と並べるナナコに葵は言ってみた。

葵のいやな予感は的中し、あの日から数日、平林可奈はクラスメイトたちから口をきいてもらえなかった。進藤春花のグループがときおり何かからかいの言葉をかけ、ほかの生徒たちは遠くでそれを笑っていた。葵のグループもまた、最初から彼女など友達ではなかったとでもいうように、平林可奈をグループから外していた。

けれど標的が平林可奈だったのは十日ほどで、次には野沢慶子がネクラと呼ばれ無視されるようになった。未だスカートの長い、派手な不良グループが、今度は野沢慶子をおもてだっていじめていた。スカートを切ったり、髪にガムテープを貼りつけたりして。平林可奈、野沢慶子ときて、次は自分たちのグループ内でだれがねらわれるのかとびくびくしていた葵は、その数日後、あらたな標的ががり勉グループの相原誠子になったのを見届け、自分を恥じたくなるくらいよろこんだのだった。

「何が？　なんで？」バス停前の、ほとんどの商品が埃をかぶったような雑貨屋で買ってきたビールを、紙袋のなかからナナコは取り出し、葵を見る。「あっ、ウチダが受験のこととか言い出したから？　あんなん平気だって。言ってるだけ。高一なのに受験なんて、早すぎるって」無邪気な顔で笑い、ナナコは缶ビールを葵に差し出す。

水滴のびっしりついた缶を受け取り、

「ねえ、そういうの、わざと？」

いらいらした声で訊いた。実際、いらいらしていた。平林可奈の件をかわきりに、クラスじゅうが不穏な雰囲気に包まれているのは、だれだってわかるはずだ。なのにナナコは未だにどのグループにも属さず、かといって単独行動だけをするわけでもなく、あちこちに首をつっこんでまわっているのだ。

「何よ、わざとって。ねえ、まず乾杯しよう。お誕生日、おめでとう！　あっ、自分で言っちゃった」

ナナコははしゃいでビール缶をぶつけてくる。

「おめでとう」

とりあえず葵は言い、ビールのプルリングを引き抜き、泡のあふれ出てくる缶に急いで口をつけ、ぬるくなりはじめた液体をすすった。

にがっ、と思わず声をあげると、隣でナナコが同じことを叫んだ。

「ハッピーアイスクリーム！」

おたがいの肩を思いきりたたいて、葵はナナコとげらげら笑う。

「何これ、ビールってこんなまずいの」

「絶対おいしいと思ったのにね、缶チューハイにすればよかったかな、あれは甘いよ」

「あたしたちって、すごいまじめだよね、この年でビール初体験」

「しかも河原で」

言い合い、また笑い転げる。食べよ食べよ、ナナコが言い、焼き鳥の包みやたこ焼きのパックを次々と開け、口に放りこんでいく。あー、おいしいー、ビーチマットに仰向けに倒れ、大げさに叫んでナナコは足をばたつかせる。スカートの裾からのぞくナナコの白い太ももを葵はちらりと見、目をそらした。

「なんかさ、仲間はずれゲームみたいに今、なってるじゃん」たれでべとついた串を持ち、焼き鳥をかじって葵は言った。「気づかなかったなんて言わせないよ。最初は平林さんで、今は相原さん。みんなで無視して、からかって、度を超したこともしてるよね。野沢さんなんかスカート切られてたでしょ。みんな、次は自分じゃないかってひやひやして、秘密警察みたいに人のこと告げ口したりして」

高く澄んだ空を映して川は流れている。夏にはうるさいほど生い茂っていた雑草は、すでに茶色く色を変え、たよりなく風になびいている。

「高校生なのに、すごい幼稚。馬鹿みたい。あそこ、やっぱり頭の悪い学校だったんだね。進学校とかって、絶対にあんなことしないよ」言っているうち、なんだか不思議な勇気を得て葵は言い連ねた。「宇辺さんたち、今どきあんな長いスカートはいてださださなのに、よく人のこと馬鹿にしたりできるよね。あたしのいってた中学にいたら、宇辺さんが真っ先にボコられてるよ」

「あの学校は馬鹿だよー、だってあたしが受かったくらいだもん」

素っ頓狂な大声でナナコは言って、声をあげて笑った。

「あたし、まじめに話してるんだけどな」

ふたたび苛ついて葵はとがった声を出した。

「いやならさ、いやだと思うことに関わりを持たなきゃいいんだよ。かんたんだって、そんなの。宇辺さんも、相原さんも、いい人だよ」

ナナコは真顔で言い、空を見上げ口を開け、楊枝に突き刺したたこ焼きをぽとんと落とす。

「あーあ」焼き鳥を持ったまま、葵はビーチマットに寝ころんだ。薄い雲が散らばった、巨大な空が広がっている。「いいなあ、ナナコは。こわいことがなくて。きっとナナコってさあ、すっごいしあわせに生きてきた人でしょ。人に嫌われたこととかないでしょ。きょうだい喧嘩したこともなくって、おかあさんはすごくやさしくて、なーんでも思い通りになっちゃって」

ナナコは否定も肯定もせず、へへへ、と鼻の頭に皺《しわ》を寄せて笑い、苦いと言ったビールをすすって飲んでいる。

「あたしさ」口に出してから、言おうか、言うまいか、数分のあいだ葵は考えた。言えばナナコに嫌われそうな気もした。けれど何も言わずにいたら、しあわせに生きてきたナナコとの距離がどんどん広がるようにも思えた。「幼稚園からずっと、ずうっとだよ、ずうっといじめられてて。友達いなくて」言ったとたん、泣きたくなった。泣き出さないよう慎重に葵は言葉を連ねる。「中学のとき、学校いけなくなっちゃったんだ。こわくて。そんなのきっと、ナナコにはわかんないよね。あのね、自分がどっかおかしいのはわかんの、わかるけど、でもだれもしゃべってくれないから、どこをどうすればふつうにできるのかわかんないの。転校したのって、だからなの。地元の学校にいけなくて、おかあさんこっちくるの嫌がったけど、でも絶対にあの場所でみんなと一緒に高校生になるのは嫌だってあたし、言い張って」

しゃべっているうちに、さっき学校や宇辺さんを馬鹿にした自分のことを思いだした。母親とそっくりだと葵は気づいた。葵は口を閉ざし、体育座りをしているナナコの背中を見、母親とそっくり同じに、この場所を見下して楽になろうとする自分は、軽蔑されても嫌われても仕方ないと思った。

「アオちんがいじめられてたのはさあ、きっと、嫉妬《しっと》されたんだよ。みんなにないものを持ってるから。持ちすぎてるから」

体育座りの格好のまま、寝そべる葵をふりかえらずにナナコは言った。

「いいんだ、そんなこと言ってくれなくても。あたし、わかるもん。自分がどっかへんだって」

ドーナツを手にし、輪っかから空を見上げる。白い雲がゆっくりと空を這《は》っている。ドーナツの輪に突然ナナコの片目が飛びこんできて、ぎゃっと葵は声をあげた。ナナコは笑い転げる。

「ま、いいよ、そういうのって本人にはわかんないし。でもどっちにしてもあたしはアオちんをいじめた人に感謝する。だって、だからアオちんと会えたんだもん」

ナナコは葵の隣に寝そべり、同じようにドーナツを頭上にかざして言い、それから無表情な声で、まるでせりふを読みあげるようにナナコは言った。

「ねえ、アオちん、あんな場所でなんにもこわがることなんかないよ。もしアオちんの言うとおり、順番にだれかがハブられてったとして、その順番がアオちんになったとしても、あたしだけは絶対にアオちんの味方だし、できるかぎり守ってあげる。ね、みんなが無視したって、たったひとりでも話してくれたらなんにもこわいことなんかないでしょ？」

葵は何も言わなかった。ただドーナツの輪から空を見続けていた。

「でもこれは、協定でも交換条件でもなんでもない。もしあたしが無視とかされても、アオちんはべつになんにもしないでいいよ。みんなと一緒に無視しててほしいくらいだよ、そのほうが安全だもん。だってあたしさ、ぜんぜんこわくないんだ、そんなの。無視もスカート切りも、悪口も上履き隠しも、ほんと、ぜーんぜんこわくないの。そんなとこにあたしの大切なものはないし」

葵は頭上にかざしたドーナッツを顔に近づけて、一口囓《かじ》った。それをまた空にかざす。アルファベットのC形ドーナッツから空を見る。輪のなかの青色が、空に溶けだしていくようだと葵は思った。

「ねえアオちん、シルバーのリングの話知ってる？」

隣に寝ころんだナナコがぽつりと言う。

「何それ、知らない」

「十九歳のお誕生日にシルバーのリングもらうと、もらった人は一生しあわせになれるんだって」

「えー、一生？　でもそれ、彼氏からでしょ？」

「ねえアオちん、あたしたちが十九歳のときもし彼氏がいなかったら、お誕生日にシルバーのリングを贈り合おうよ。一生しあわせにすごせるよ」

「ナナコはいないだろうからプレゼントしてあげるけど、あたしは絶対に彼氏からもらう」葵は言い、言ったそばから笑い出した。

「今年のアオちんのプレゼントが焼き鳥セットでしょぼいから気をつかって言ってんのに！　十九歳までおこづかいためてちゃんとプレゼントしろよって遠まわしに言ってんのがわからんのかっ」

ナナコはビールを飲んで大声で言い、足をじたばたさせて笑う。笑い声が河原に響く。水の流れる音がする。寝そべったまま首をあげ川面《かわも》を見やると、空と川は重なり合って、まるで空が川面に溶けだしているようだと、ふたたび葵は思った。

5

七月間近になってあかりの保育園が決まった。第二希望の園だったが、思ったよりずっと早かった。近隣の社宅が取り壊されることになり、いくつかの家庭が引っ越して、急に空きができたのだった。入園前から慣らし保育の一週間、どうかなってしまうのではないかと思うくらい小夜子は忙しく動きまわった。手続き以外にもやることは山のようにあった。通園バッグを作り、タオルに名前を刺繡し、運動靴や着替え用の服を揃える。自宅から保育園まで、また保育園から駅までの道のりを前もって数回自転車で走り、近道を見つけ、効率よく買いものをして帰れる道も見つけた。掃除もまた、朝いってとりかかればいいだけでなく、覚えなければならないことが増えはじめた。水垢《みずあか》はカルシウムマグネシウムケイ酸などの無機質が空気と結びついて凝固する、専用洗剤には研磨剤界面活性剤、酸やアルカリ、溶剤などが含まれると、中里典子の早口の説明を学生のように書き留めて、各々の箇所と適応洗剤を覚えなければならなかった。

働くために保育園に預けるのに、保育園の準備のために徹夜に近い状態で仕事にいったりもした。何をやっているんだかわからなくなりかけもしたが、しかし、働くことが正しかったか否かと、以前みたいにぐずぐず考えているひまはなかった。目の前のことをただひとつひとつ片づけるだけで時間は過ぎた。

自分は運がいいと、空き部屋の風呂場を掃除しながら小夜子は幾度も思う。一ヵ月も待たないで入園できたなんて、と保育園で知り合った若い母親も驚いていたし、それに、この二週間、週五日働くかわりに昼過ぎに切り上げていいように葵と中里典子がスケジュールを組みなおしてくれた。慣らし保育が終わってもしばらくのあいだ、あかりは四時までしか預かってもらえないのだった。

ここのところずっと、初日と同じように中里典子のバンに乗り、マンションの空き部屋をまわって掃除をしている。葵がくることもあったし、プラチナ・プラネットのほかの顔ぶれ——茶髪で若作りの関根美佐緒、赤い髪を短く刈りこんだアルバイトの長谷川マオ——がくることもあった。岩淵さんは実際葵に談判したのか、あれ以来掃除にはきていない。

中里典子が連れていくのは毎回、よく捜し出したものだと感心するほど汚れた空き部屋だった。台所の換気扇や風呂場の排水口、トイレやガス台には様々なタイプがあったが、汚れの程度は共通している。

今日の部屋はワンルームマンションで、数日前に引っ越し業者がバルサンを焚いたらしく、大小のゴキブリが至るところでひっくり返って死んでいた。小夜子は作業に取りかかる前に、そのゴキブリを始末しないといけなかった。それを終えて、赤と黒の黴《かび》がはえる風呂場を、小夜子はひとり黙々と磨き続けている。

私は本当に運がいい、こめかみから顎《あご》に流れる汗を拭いもせず、タイルの床に這いつくばって小夜子はくりかえす。保育園に通いはじめてから十日が過ぎているのに、おうちにいたいと今日も泣いたあかりが思い出される。自転車に取りつけた補助椅子で、空を仰ぐようにして泣いたあかりのちいさな頭が思い浮かぶ。働くことにもう迷いはないものの、そんなふうにして泣くのを見るたび、胸がふさがれる思いがする。こんなにちいさいのにかわいそう――義母の口癖を、自分もつぶやいてしまいそうになった。

かわいそうなはずがない、きっと今日はお友だちもできて、公園では味わわせてあげられなかった楽しみを見いだしているだろう。小夜子は歯ブラシで目地《めじ》を磨き、頭のなかが真っ白になっていく瞬間を待ちながら、自分に言い聞かせるように胸のうちでそうつぶやく。

二時ぴったりに中里典子が迎えにきた。バンに乗せられ、最寄《もよ》り駅に向かう。

「本当にすみません、時間、都合つけてもらっちゃって」

「いいんだ、べつに。そのかわり、週五きてもらってんだから」

葵が相手だとよく笑う中里典子は、あいかわらずぶっきらぼうに言う。助手席から空を見上げると、濁った色の雲が低く垂れ下がっているが、まだ雨は降っていない。

「中里さんもお子さんがいらっしゃるんですよね」

車内の沈黙が気詰まりで、小夜子は口を開いた。ああ、と中里典子は低くうなずく。

「ちいさいころは、保育園に預けてらしたんですか？」これには答えない。何かまずいことを訊いたのかもしれないと思った小夜子は、あわてて言葉をつぐ。「保育園って、あんなにたいへんだと思いませんでした。最初だけなんだろうけど……。通園バッグ縫って、運動靴袋縫って、日誌を毎日書いて。こないだなんか、掃除用の日誌に、子どもが朝何時に起きて何を食べたか書きこみそうになりました」

中里典子はふっと息を漏らすように笑い、小夜子は安堵する。

「おしゃぶりがとまんなくてさ」

唐突に中里典子が言った。自分の子どもの話をしているのだと理解するまでに少しかかった。

「あんたんとこと違って、うちは実家の母親がうるさいの。私が仕事仕事だから、子どもはストレス感じておしゃぶりしちゃうんだって決めつけて。保健婦さんもおしゃぶりのこと、ああだこうだ、上からもの言う口調で言うしさ。こう見えても神経細いんだ、こっちがノイローゼになるかと思ったよ」

小夜子は運転席の中里典子を見た。化粧気のない、いかつい印象の中里典子が、急に母親然として見える。

「そしたら葵ちゃんが言うのさ。典ちゃん、二十歳で指しゃぶってる男なんかいないよ、って。それ聞いて、私、笑っちゃった」

数十メートル先に駅が見えてくる。もっと話を聞いていたかった小夜子は、目の前の信号が赤になれと祈るように思っている。

「今はうんちおしっこの大連発。レストランやデパートでわざと言うんだもん、ひっぱたきたくなっちゃうよ。でも、ま、それも葵ちゃんに言わせれば、二十歳になってうんこおしっこ言ってる男はいないよね」

中里典子はそう言って、声をあげて笑った。信号は赤にならず、バンは駅のロータリーにすべりこむ。お疲れさまでした、お先に失礼します。小夜子は頭を下げ、とまったバンから降りて改札へとかけ出した。

門の外に小夜子の姿を見つけ、子犬のようにあかりが走ってくる。たった数時間会わなかっただけなのに、一週間も離れ離れに暮らしていた気がして、腕に飛びこんできたあかりを思いきり抱きしめる。

「こんにちはー。あかりちゃん、だったよね」自転車を引いてきた母親が小夜子に笑いかけた。

「あかりちゃん、うちのチーちゃんなかにいる？」

あかりは表情をかたくして小夜子のうしろに隠れ、クラスメイトの母親をじっと見ている。

「すいません、この子まだ、お友だちの名前覚えてないかも」

「ああ、まだきたばっかりだもんね。あすなろだより、読んだわよ」

「あれ毎月書くんですか？　文章なんてずいぶん書いてないから、緊張しちゃって」

「ほんと、漢字が思い出せないのよねー。でもあれ、三カ月か四カ月に一度でいいのよ」

その月誕生日を迎える児童の紹介や、母親たちのコメントが印刷された配布物について、小夜子はチーちゃんの母親とひとしきり話した。曇り空の下、自分も名前を覚えていない母親と向き合い、ごく自然にすらすら言葉が出てくる自分が不思議でもあり、逆に、公園で見知らぬ母親に話しかけることができなかった、数カ月前までの自分のほうが、よりいっそう不思議でもある。

「それじゃ、またあしたー」チーちゃんの母親は手をふって園庭へと入っていく。

「どうも、お先にー」小夜子も手をふり、あかりを自転車の補助椅子に乗せた。スーパーマーケットに向かって自転車を漕ぐ。夕食の献立と、買うべきものを思い浮かべながら、

「あーちゃん、今日はだれと遊んだの？」小夜子は訊く。このところ毎日のように訊いている。あかりから友達の名前が出てくるのを祈るように待ちながら。

ハンドルに取りつけた補助椅子に座ったあかりは、それには答えず、ちいさく何かを歌いだす。よく歌うアニメの主題歌かと思ったが、小夜子の知らない歌に聞こえる。

「そのお歌、今日習ったの？」と訊くと、あかりは前を向いたまま、ちいさくひとつうなずいた。

「そっか。ママ、あーちゃんのことずっと見てるんだよ。あーちゃんは何してるかな、ごはん食べてるな、お歌習ってるな、って、ママはいなくても毎日あーちゃんのこと、見てるからね」

あかりはふりむかず、またひとつ、こくんとうなずく。

「ね、もっと大きな声で歌って、ママに聞かせてよ」

小夜子はペダルを漕ぐ足に力をこめた。曇り空の下、なま暖かい風に街路樹が葉を揺らしている。飲み会のこと、今日こそ修二に相談しようと小夜子は決める。

「ねえ、もう少し遅くなってもかまわないかな」

にぎやかな店内から出、エレベーターの前で携帯電話に耳をはりつけ、懇願するように小夜子は言った。

「え？」ざらざらした電波の向こうで修二が訊く。苛立っているのか、単に声が聞き取れなかっただけなのか、小夜子にはわからない。時計を見る。八時を過ぎたばかりである。

「今日、ほら、私の歓迎会だし、みんな私の都合で土曜日にしてくれたわけだから、じゃあお先にって帰るの、なんだか申し訳なくって」

「このまま、毎週末押しつけられたりしてな」

修二が言った。冗談だったのだろう、声は笑っていた。

「押しつける？」

けれど思わず小夜子は訊き返していた。

「あかりはさっき寝たよ、絵本連続五回読まされた」

険悪になりそうな気配を察したのか、修二はとりつくろうように言った。自動ドアの向こうで会計を終え、集団はぞろぞろとこちらに向かって歩いてくる。

「じゃあ、ごめんね。悪いけど、よろしくね。遅くならないうちに帰ります」

小夜子は口早に言い、電話を切った。自動ドアから出てきた葵が小夜子に駆けより、

「どう、平気だった？」

アルコールくさい息を吐いて笑いかける。平気平気。小夜子も笑ってピースサインを作った。

プラチナ・プラネットの面々——経理の山口さん、関根美佐緒に岩淵さんと長谷川マオ——と、小夜子が名前を覚えられなかった数人は、次の一軒の候補を大声で言い合いながら、交差点を渡っていった。木原が残ってわきに立っている。ひょっとして、木原も葵の家にいくつもりかと、小夜子は少々心配になった。葵と二人で話してみたかったし、それに小夜子は木原をあまり好ましく思えないのだった。感じの悪いところは何ひとつないのに、木原を見ていると何か嫌な気持ちになる。タクシーをつかまえるため、木原が路上に飛び出していったとき、小夜子はすばやく葵に訊いた。

「木原さんもいっしょ？」

「まさか。帰り道、途中だから乗っけていってあげるだけ」

それを聞いて小夜子は安心した。木原がこちらを向いて、タクシーがきたと叫んでいる。

「うちきても、驚かないでね」タクシーの後部座席に乗りこみながら、葵は小夜子に言う。

「下北に先まわります？」

「いいよ、木原くんついてきそうだもん。参宮橋が先でいいよ」

「うわ、いきませんよ、感じ悪いなあ。じゃ、運転手さん、参宮橋経由で下北」助手席の木原が行き先を告げるとタクシーは走り出した。ルームミラーに片目だけ映る木原を、小夜子はちらりと盗み見た。

夕方五時から新宿で行われた親睦会兼小夜子の歓迎会には、二十人ほどが参加していた。ショップ・プロデューサーだの、企画製作会社の社員だの、経営コンサルタントだの、役者の卵だの、年齢も職種もばらばらの人ばかりで、ただみな、雰囲気が葵に似ていた。開けっぴろげで、大きな声で笑い、旧友のように小夜子に話しかけた。フリーペーパーを作っているという女性とは、子育ての話で盛り上がった。役者の卵だという若い男の子の恋愛相談に、山口さんとのってあげたりもした。関根美佐緒と、今までもっとも汚かった空き部屋について自慢しあった。プラチナ・プラネットのメンバー以外は最後まで顔と名前が一致しなかったが、居酒屋で他愛ない話をし笑い合うことが、なんだか百年ぶりくらいのことのように小夜子には感じられた。葵とも話がしたいと、座敷席を小夜子は幾度か見渡したが、葵の隣はいつも木原が陣取っていた。会計の段になって、並んで靴を履いていた葵が、うちで飲みなおさないかと思いついたように話しかけてくるまで、結局葵とは話もできなかった。

「ねえ、木原くん、さっきの話。通訳とか案内ではない個人的ガイド、って話だけど」

いきなり葵がまじめな口調で木原に話しかけた。「それって結局ホストをあてがうようなことにしか私には思えないんだよね。それってつまりは経済じゃない。経済であなたはものを言ってるよ」

「まあ、そう言われるだろうなって思ってはいたんだけど。でも、ニーズとしてあるのはたしかですよ。日本人相手の商売ジゴロにひっかかるより、全然いいでしょ」

仕事の話らしい。仲間はずれにされたような、子どもっぽい気持ちを抱いた小夜子は窓の外を眺める。夜の新宿がどんどん遠ざかる。八時十八分。いつもの土曜なら、食事の後片づけをしている時間だ。ときどき顔を上げ、ベランダの向こうの、濃紺の夜空を見上げながら。新宿の夜空が明るい紫色だということを、はじめて知った気がする。

「だってそれでなんになるの？　そんなものがなければあったかもしれない人との出会いも消しちゃうことにならないかなあ」

「葵さんらしい考え方ではあるけれど、でも、掃除よりはよっぽど理にかなってるっていうか」

「理って何？　掃除よりは、なんて言われる筋合いないよ。プラプラは私の会社だし、掃除と旅行は決して無関係じゃないよ」

「そりゃそうなんだろうけど」

木原は言って、体をよじって真後ろに座る小夜子を見て、なぜかにっと笑いかけた。

意味のわからない笑みは不快に感じられ、早く降りろ、と小夜子は子どもっぽい気分のまま胸の内でつぶやいた。

木原を降ろしたあとしばらく走り、タクシーは古びたビルの前で停まった。小夜子は降り、続いて降りてきた葵に代金を払おうとしたが、葵は受け取らなかった。周囲にはごたごたと、民家や木造アパートが連なっている。

「ここなのよ、うち」

タクシーが走り去り、静まり返った路地で葵は言い、腕を高く上げてそのビルを指した。

錆《さび》の出たポストを開けて中身を取り出し、葵は小夜子の先に立って歩く。玄関はオートロックではなく、エレベーターは不安を覚えるような年代物だった。葵は五階で降り、外廊下を歩く。

あがって、あがってと言いながら、葵は部屋のあちこちにあるライトをつける。橙色のやわらかい光が、天井や壁を照らし出す。荷物のごたごたと置かれた1LDKだった。十畳ほどのダイニング兼リビングと、六畳の和室。ひとりの住まいならこれで充分だろうけれど、自分の家より狭いところに葵が住んでいるのは、小夜子には意外だった。

「ほらやっぱり」台所で何かの用意をしながら葵は言い、笑う。「ここにきた人はみーんな驚くの。古いし、汚いし。ここに飲みにきて、会社がつぶれるような気がしてきたってやなこと言う子もいてさあ。まあ、かなり低迷してるけどお給料を払えないくらいではないよ。あ、そこ、座って、ふんづけていいから」

葵に言われ、ソファに積んである衣類の山をそっとどかし、葵は腰かける。カーテンの開いた窓の外を見やると、新宿副都心が絵画のように見えた。

「すごい夜景」思わず言うと、

「そうなの。それだけが気に入って借りたの」葵はうれしそうに言った。

二十五インチのテレビ、合皮のソファ、葉に埃のついた巨大な観葉植物、壁に掛かったブルーの目立つ抽象画、床に散らばった雑誌、きちんと動いているのか心配になるくらい古いエアコン。小夜子は葵の部屋のなかを無遠慮に見まわした。部屋はアジアの雑貨や黒檀の家具でまとめられ、旅先で買ったらしい置物や布地が飾られ、抽象画が飾られ、かと思うと、部屋の隅に段ボールが山積みになっていたり、細かい数字の書かれたファクス用紙が床に散乱していたりした。

もし自分が——部屋を見まわし小夜子は考えた、もし自分が結婚せずあのまま映画配給会社で働いていたら、きっとこういう部屋に住んでいるんだろう。酔っぱらってひとりこういう部屋に帰ってきて、ときおり友達も連れこんで、夜景を遠く眺めながら深夜まで酒を飲んだりするのだろうと。

「田村さんはどんなとこに住んでいるの」

ソファテーブルにワイングラスをふたつ並べ、チーズののった皿を置き、床にあぐらをかいて座った葵は訊く。

「うちは駅から徒歩十二分の３ＬＤＫ。子どももいるんで、いつも散らかってる」小夜子は答えた。

「へえ、広くていいなあ。分譲でしょ？」葵はグラスにワインを注ぐ。

「そう、三十五年ローン」

最近になってようやく、葵に言われるとおり敬語を使わず話すことができるようになった。昼で仕事を終えた日はいつも直帰して、電話で葵に業務報告をしていた。事務的な報告が終わると、保育園はどうか、嫌味ばばあはどうかと葵が訊くので、つい小夜子はしゃべりすぎてしまう。そんなやりとりをしているうち、敬語を使わなくなっていた。

「ここ、居心地がいいなあ。もし何かあったら、子ども連れて家出してきていい？」注がれたワインに口をつけ、小夜子は言った。もちろん冗談のつもりだったが、そう言ったとたん「押しつける」という修二のせりふを思い出した。

「うん、おいでおいで。和室に布団敷いて川の字で寝よう。でもさ、こんな狭いとこより、家出するなら温泉旅館いこうよ。露天風呂に懐石料理。う－ん、いいねえ」葵は煙草に火をつけて笑う。

「温泉かあ、いいなあ。もう何年もいってない」

「じゃ、いこう。マジでいこう」

「でもそんなことしたら、夫が何言い出すか。もう、むかつくったら。さっきうちの夫、なんて言ったと思う？　子どものことを押しつけた、みたいな言い方するんだから、びっくりしちゃう。育児のことを洗いものか何かと思ってるのかって言いたくなっちゃう」

軽い酔いも手伝って小夜子はべらべらとしゃべった。最近になって知った。しゃべることは、気持ちいいのだ。義母のことも、夫の不用意な発言も、口に出せば喜劇性を帯び、すぐに忘れられる。言わずにためこむと、些細《ささい》なことがとたんに重い意味を持ち、悲劇性と深刻味を帯びる。そして葵にならば、小夜子は躊躇《ちゅうちょ》なく話すことができた。

「ああ、今の話聞いて、私の結婚願望、確実に七十パーセント減った。こうして結婚しない、子ども産まない女が増えんのよ。少子化の元凶は働く女じゃなくて、幸せな主婦の愚痴だね」

「楢橋さんは結婚なんかしなくたってやってけるじゃない。私はひとりでやってく勇気がなかったもの。働いてく自信、なかった」

「本当？　私は逆。結婚して母親になる勇気がない。仕事なんて楽だよ。やってればいいんだもん。目の前のことを、一個ずつ片づけていけば明日になるし」

葵はそこで言葉を切り、部屋のなかは静まり返った。葵の吐き出す煙がゆっくりと天井にのぼっていく。窓の向こうで高層ビルが、ちいさな明かりを点滅させている。

「ね、子どもの写真持ってる？」

突然葵に言われ、小夜子は携帯電話を鞄から取り出した。フラップを開け、あかりが写る待ち受け画面を差し出す。

「へえー、かわいいね、目のあたりが田村さんに似てるのかな。ね、子ども産むときさ、こわくなかった？」携帯画面をのぞきこんだまま、葵は訊く。

「こわい？」

「私はこわい。こわい、ってすごいよね。私、大人になって、ちゃんと自分で稼いで、営業だって飛びこみでいけるし、うんと年配の男と喧嘩したって勝つ自信もある。なのにさ、子ども産むことがこわいなんて、なんていうか、情けないよね。でもさ、自分から出てきた子どもが、成長して、私には決してわからないことで絶望したり傷ついたりするって、想像しただけでこわい。自分が親に何にも話さない子どもだったからかな。私みたいな子どもだったら、私、いやだもん」

葵は笑って言い、小夜子に携帯電話を返した。

「でもね」待ち受け画面で笑うあかりに小夜子も目を落とす。「子どもって、ほんと、私みたいって思うことあるな。私も、自分みたいな子じゃなくて、もっと明るくて、こう、なんていうの、さわやかな子どもになってほしいんだけど、うちの子、かなしいくらい内弁慶なの。保育園通いはじめて一カ月近くたつのに、まだお友だちできないみたいだし。自分のちいさいころのこと、思い出すのよね。私もそうだったなあって。そういうの、こわいっていうより、なんか落ちこんじゃって」

保育園にいきたくないと、家を出る間際に泣くあかりを小夜子は思い出す。保育園で保育士さんに引き渡しても、あかりはすさまじい勢いで泣きわめいている。園庭を見まわしてもそんな子どもはほかにいない。こんなに泣く子もめずらしいと、年輩の保育士さんがぽろりと言ったのを耳にしたのはついおといだ。その姿が思い出させるのは、ちいさいころのことではなく、公園巡りで悩んでいた自分だった。

足の爪をいじりながら話を聞いていた葵は、「わかる」と一言言って立ち上がり、台所へ向かう。

「わかるなー、それ。私には子どもいないけど、結局さあ、私たちの世代って、ひとりぼっち恐怖症だと思わない？」

声のトーンをあげて葵はしゃべる。カウンターキッチンの小窓からのぞくと、葵は背伸びして頭上の棚から何か取り出している。

「ひとりぼっち恐怖症？」小夜子は訊き返した。

「そ。お友だちがいないと世界が終わる、って感じ、ない？　友達が多い子は明るい子、友達のいない子は暗い子、暗い子はいけない子。そんなふうに、だれかに思いこまされてんだよね。私もずっとそう。ずっとそう思ってた。世代とかじゃないのかな、世界の共通概念かなあ」

最後のほうは独り言のように言い、葵は皿を用意している。小夜子は驚いて葵を見た。公園の話を、葵にしたのだっけと思い返す。公園を巡り歩いて、母親友達のできない自分を責め、同い年の子と仲良くできないあかりに苛立っていた日々を、打ち明けたのだっけ。

両手に皿を持って葵が台所から出てくる。皿にのっていたのはスナック菓子だった。片方がポテトチップスで、片方がミックスナッツ。

「ごめんね、こんなものしかなくて。私料理しないから」

ソファテーブルに置かれた皿を、見るともなく小夜子は眺めた。

「だけど……」

小夜子は言いかけ、しかし続きが思い浮かばず、粉引きの皿に手をのばしポテトチップスを口に運んだ。

「私さ、子どものとき、友達ができないのは悪いことだってずっと思ってた。なーんか、そう思うことってけっこうつらいんだよね。それでね、子どもいたりしたら、またそういう思いこみ持って、子どもに押しつけちゃいそう。それもこわいんだよね。子種見つけてから言えって感じだけど」あはははは、と葵は高らかに笑う。

「だけど、友達、たくさんできたほうがやっぱりいいじゃない?」耳に届く自分の声は、みっともないくらい切実だった。けれど小夜子は知りたかった。あかりの未来か、自分の選択の正否か、葵の話の行き着く先か、何を知りたいのかは判然としなかったが、しかし知りたかった。

「私はさ、まわりに子どもがいないから、成長過程に及ぼす影響とかそういうのはわかんない、けどさ、ひとりでいるのがこわくなるようなたくさんの友達よりも、ひとりでいてもこわくないと思わせてくれる何かと出会うことのほうが、うんと大事な気が、今になってするんだよね」

小夜子は正面に座る葵をじっと見つめた。目の前でぱちんと手をたたかれたみたいに思えた。そうだ、あかりに教えなければならないこと、それは今葵が言ったようなことなんじゃないか、泣きわめくあかりを保育士さんに預け、まだ友達ができないのかとじりじり焦り、迎えにいったあかりから友達の名がひとりも出ないことにまた落胆するのは、何か間違っているのではないか……葵を見つめたまま、小夜子は考えた。

「楢橋さん」

葵の名を呼んでみたが、何を言っていいのかわからず小夜子はそれきり黙った。

「でもなあ。男が寄りつかなくてもさみしくないって思うのは、ちょっといきすぎかなあ」

ミックスナッツを頬張って、葵は天井を向いて笑った。さっき葵に見せた携帯電話が鳴り出す。ディスプレイを見なくても修二からだとわかった。時計を見ると十時近い。小夜子は鳴り続ける電話を手に、あわてて立ち上がった。

「すっかり長居しちゃって。ごちそうさまでした。今度、うちにもきて。ごちそう作ってもてなすから」

「うちなら泊まってってていいのに……って、そんなわけにいかないか。じゃあこれ、タクシー代。領収書もらっておいて今度くれればいいから。あのね、高速のってもらえば速いと思うからそう言って」

葵はあたふたと財布から一万円札を二枚取り出し、小夜子に渡す。断ろうとしたが、しかし迷わず駅までいける自信もない。頭を下げて小夜子は紙幣を受け取った。エレベーターまで送っていくと言う葵を断り、玄関先で手をふりあってドアを閉めた。大通りを降り、夜の町を転げるように走る。路地を抜けると、数十メートル先に車のライトが流れているのが見えた。大きく息をしながら走り、車の列のなかに空車ランプを捜す。

ビニールのにおいがきついタクシーの車内で、小夜子は目を閉じ、たった今出てきた部屋を思い描く。その部屋で動く葵を思い浮かべる。皿を片づけもせず、ソファに寝転がってテレビをつけ、残りのワインをひとり飲み、テレビから流れるギャグにひとりけらけら笑うのだろう。ひとりでいるのがこわくなるような大勢の友達ではなく、ひとりでもこわくないと思わせてくれる何か。おしゃぶりの話を葵に笑い飛ばされたことを、ずっと忘れていない中里典子の気持ちがわかるような気がした。暗い後部座席で小夜子はふりかえり、夜のなかにそびえ立つビルに、葵の部屋の明かりを捜す。

6

待ち合わせは三つ先の駅にした。そんなことはしなくてもいいと葵は言ったのだが、そのほうが絶対にいいとナナコは言い張ってきかなかった。あたしと一緒のところを見られたら、アオちんが嫌な思いをするのだからと。

夏休みのあいだ、伊豆のペンションにアルバイトにいくことを、葵の母は昨日の深夜まで認めなかった。しかし認めないその理由が、葵にはわからなかった。ひとりでいくのではなくクラスメイトといくのだし、遊びにいくのではなく働きにいくのだ。

昨日のその話し合いの席で、葵は母のことを心底憎んだ。今までにないくらい失望した。葵の母は、あんなうちの子と一緒にいくなんてかえって心配だと漏らしたのだった。

ナナコのことだ。母がナナコの何を知っているのか。何も知らず、ただこの町じゅうのすべてを見下したいだけのくせに、なぜ自分の友達を侮辱するのか。「あんなうち」というのは、おそらくナナコの住む団地を指しているのだろうが、この中古住宅は御殿だとでも母は思っているのだろうか？　テーブルの下で組んだ手が怒りで小刻みに震えた。しかし反論したらアルバイトにいけなくなる。そう思って我慢した。我慢しているうち、涙がこぼれてきた。怒りで泣いているのだったが、アルバイト禁止がかなしくて泣いていると思った父があわてて母を説得してくれたのだった。何ごとも経験だ、民宿で働くなんていい機会だ、高校二年なんて立派な大人だ、ほろ酔いの父は頬を赤くして母を説き伏せ、毎晩電話をするという取り決めを交わし、ようやく母は了承した。

許可が下りても葵の怒りはおさまらなかった。本当なら嬉しさで高揚して眠れないはずの夜も、暗い部屋でベッドに横たわっていたら涙が出てきた。なぜナナコが母親のような女に馬鹿にされなければならないのか。安っぽい妄想の過去を後生大事に抱えているしかない母のような女に。

この町に越してきてからふさぎがちの母は、パートをはじめてはやめることをくりかえしていて、最近では、ときおり葵に嫌味を言うようになった。たぶん、職場で嫌なことがあったときに、娘のためにここに戻ってきたということがまざまざと思い起こされるのだろう。進路の話題が持ち上がった折などに、東京の大学にいきたいと葵が言おうものなら、横浜から引っ越してきたのにあんただけまたそっちに戻るつもりなのかと、ぞっとするほど冷たい声で訊かれたこともある。いじめの原因は葵自身にあったのではないかと、そのような意味のことを言われたことも。葵はそのたび母に失望したが、しかしそれより何より、ナナコを見下したことが葵には許せなかった。

今朝、母は寛容な笑顔を見せ、葵に現金の入った封筒を渡した。困ったことがあったら使いなさいと言い、困ったことがなければアルバイト料で倍返ししてくれてもいいわよと、最近の母にしてはめずらしい軽口をたたき、ほがらかに笑った。葵はそれさえも突き返したかったけれど、ぐっとこらえた。食事も部屋もペンションで支給されるとはいえ、葵はほとんどお金を持っていなかったし、お小遣いがいつ必要になるかわからなかった。そうね、倍返しするね、葵は笑ってそれを受けとった。いってらっしゃいと、玄関先まで出てきた母は、登校一日目にそうしたように、いつまでも大きく手をふっていた。

三つ目の駅で葵はプラットフォームに降り立った。数メートル先に立っていたナナコはすぐに気づいて、転がるように電車に乗りこんでくる。空いた車内で、ナナコと葵は手を取り合って笑い転げた。

「やった、やった、やった!!」

「あたしアオちんはこられないかと思った」

「ねえねえ水着持ってきた？」

「当たり前だよ、だって休憩時間あるんだよ？　むだ毛もばっちり処理してきた」

「あたしマニキュアとか化粧品とか持ってきた」

「うっそ、まじ？　じゃあ毎晩いっしょに研究しようよ」

「でも勉強もしなきゃだよ、ナナコ、ちゃんと参考書持ってきたよね？」

ボックス席に向きあって座り、早口でまくしたて続けた。ナナコはデニムのミニスカートに、タンクトップを二枚重ね着している。葵と同じようにずいぶん大きなナイロンのバッグを提げていて、家出少女と間違えられるのではないかと葵はちらりと思った。

窓の外、空は雲ひとつなく晴れわたっていて、その真下、緑に染まった田んぼが延々と続く。じっと目を凝らしていると、電車が停車しているような錯覚を覚えるくらい景色は変わらない。しかし自分たちははじめて今日ここを脱出するのだ。葵は幾度もそう自分に言い聞かせた。

電車のなかには数人の客がいるきりだった。買いものかごを抱え、頬被りをしたおばあさん。ちいさな子どもとだらしなく太った若い母親。塾にいくのだろうにきび面の中学生。彼らはたぶんここから一生抜け出すことができない。今日どこかにいって帰っていくだけ。退屈だと言いながら退屈以外をおそれ続けるだけ。彼らからは、そんなどんよりと煮詰まった雰囲気が流れ出しているように、葵には感じられた。けれどあたしたちは違う。うんと遠くにいくのだ。ここ以外で起きるすべてのことをおそれてなんかいないのだ。高らかにそう叫び出したいような高揚を、ようやく葵は味わうことができた。

求人雑誌で見つけた「ペンション・ミッキー＆ミニー」は、伊豆急行の今井浜海岸駅から、十分ほどバスに揺られたところにあった。海まで歩いて五、六分の三階建てのちいさな宿だった。葵とナナコを出迎えたのは、色の黒い体格のいいおばさんだった。裏口で、はじめましてと頭を下げ、自己紹介をはじめようとすると、

「あんたたちちょっと荷物そこに置いてさ、台所にある洗いもの、片づけちゃってよ。そんであんた、あんたはね、悪いんだけど洗濯もの干してくれる？　うちのもまじっちゃってるけどごめんね、いいわよね、あぁこっちが台所、あんた、その先が洗面所だから、洗濯機のなかに洗ったもの入ってるからさ！」

舌を嚙みそうな早口で女はわめきちらしながら、ナナコを台所に、葵を洗面所に連れていった。

親戚でもない人の家の洗面所や洗濯ものを、葵ははじめて見た。脱水の終わった洗濯ものを、近くに置いてあった洗濯かごに移し、それを提げて裏庭へと移動する。廊下を通るときちらりと台所をのぞくと、山積みになった皿を洗うナナコのうしろ姿が見えた。

ペンションの客用入り口はずいぶん新しく洒落ていたが、裏庭は雑草がのび放題、子

どものおもちゃやビニールプールが雨ざらしで、ずいぶん散らかっている。葵は背伸びをして、強い陽射しに目を細め、物干し竿に洗濯ものを干していく。客用らしきタオルにまじって、子ども用のちいさなブリーフやTシャツ、男ものの靴下や女もののブラジャーやパンツまであった。日に焼けて、脱色した髪がぱさぱさに乾燥したあの大きな人、あんまりものごとにかまわないんだなあと、そんなことを思いながら葵はシャツやタオルをはたき、次々と干していった。

電車で五時間ほど移動しただけなのに、空気も陽射しも全然違うように感じられた。ついさっき、むくれ面で母と向きあっていた自分が、今ここで他人のブラジャーを干しているということが、ものすごく不思議に思えた。額から顎に向けて、汗が絶え間なくしたたり落ちる。こんなに陽射しが強烈なのは海が近いからだろうか。もしかしてこういう場所でなら、あたしは母のすべてを許せるかもしれないと、暑さでぼうっとしてくる頭で葵は考える。

「ちゃっちゃっとやってよ、あのね、やることがもう山積みなんだ。ここへきたからにはこきつかうよ」

早口のだみ声が聞こえ、ふりかえる。出迎えたおばさんが、縁側に座って葵を見ていた。エプロンのポケットから煙草を取り出し、火をつけ、はーあ、と大きな声とともに煙を吐き出す。

「あたしは真野亮子。女優みたいな名前だろ？」おばさんは言って、ひとり大きな声で笑う。「でもリョウコさん、なんて呼ばなくていいよ。おばさんでいいよおばさんで。ほんとはそんなに年くっちゃいないんだけどね。けどあんたたちから見たら二十代も三十代もおばさんだろ？」おばさんはまた笑う。煙草の苦重い煙が葵の鼻先をかすって、空に流れていく。

「あとで案内するけど、うちを建て増ししてペンションにしたの。あんたたちには子ども部屋空けといたから。ふたりいっしょでいいよね？　それよっか、あんたたち、双子？」

葵はふりかえっておばさんを見た。

「えっ、似てますか、あたしたち？」なんだかうれしかった。

「似てるっていうか、あたしにはあんたくらいの子たちはみんな同じに見えるからさ」

「あたしは楢橋葵です。あっちは野口魚子です。ふたりとも一生懸命働きますので、どうぞよろしくお願いします」

葵は言って、洗濯ものを手にしたまま深々と頭を下げ、手にしているのがトランクスだと気づいてあわててそれをピンチに止める。

「こちらこそどうぞよろしく。うちの人たちは夕飯のとき紹介するから。あ、あんたたちの夕飯はお客さんが終わってからだから、八時半か九時だよ。それじゃ、干し終わったら呼びにきて。次、大急ぎで風呂場やってもらうから」

おばさんは言って、煙草を投げ捨て腰をたたきながら部屋に入っていった。

夕食にありつけるまで、信じられないくらい働かされた。ナナコと言葉を交わす暇もないくらいだった。九時過ぎに、真野家の食卓に着いたときはへとへとで、ほとんど食欲もないほどだった。

台所を唯一《ゆいいつ》の通路にした、ペンションのちょうど裏側に真野家の家があった。ペンションの真新しさに比べ、住まいのほうはだいぶ年季が入っており、どこもかしこもごたごたと散らかっていた。八畳ほどの食堂にも、段ボール、子どものおもちゃの車、ぬいぐるみ、新聞の山、梅酒の瓶やケース入りのビールなどが、隙間を埋めるように置いてある。

葵とナナコが向きあって座ったテーブルに、亮子の夫のフトシ、夫の母のミサ、五歳になる亮子の子ども、真之介がつき、騒々しく食事をはじめる。それぞれ自己紹介をし、プロレスラーのような体格のフトシが葵たちに質問をし、葵たちが答えようとすると、五歳の真之介が大声でちゃちゃを入れ、それを亮子が立ち上がってたしなめ、ミサが手を伸ばして葵たちの味噌汁のおかわりを勝手によそう。真之介は話に飽きるとテレビのリモコンをいじり、椅子の上で踊り、フトシはテーブルに新聞を広げ、読みながらビールを飲み食事をし、ミサと亮子はいきなり米の銘柄のことで言い合いをはじめた。

鰺《あじ》フライとポテトサラダの夕食をおそるおそる食べながら、葵とナナコはときおり目配せをした。いつも母とふたりで食事をする葵と同様、ナナコもこんなに騒々しい食事の席ははじめてなのだろう。

宿泊客の食事の後片づけをし、それから家族全員の食器を洗い、片づけ、ペンションの食堂を掃除し、客がいないのを見はからって風呂場及び脱衣所を拭き掃除し、葵とナナコで順番に風呂に入り、子ども部屋に退散したのは午後十一時半だった。

真之介にあてがわれていたらしい六畳の部屋にもものが満ちていた。おもちゃや絵本、子ども服やブロックなどをわきへよけ、布団を敷く。並んで寝ころび、タオルケットをかけて電気を消す。天井にびっしり貼られた蛍光の星のシールが浮かび上がった。葵とナナコは、何かしゃべる気力もなくただ惚《ほう》けたようにそれを見上げた。

「これ、フトシさんが貼ったのかな」しばらくして葵はそっと声を出した。

「やさしいパパだね」

「亮子さんもこわいけどいい人だね」

「でもあたしこんなに働いたの生まれてはじめて」

「あたしも。明日死ぬかも」

「でもなんか、たのしいね」

うん、なんかたのしいね、全然知らない人の家で眠るのってへんな感じだね、明日もまたすごい働くんだろうね、でもあたし、ナナコがいるからなんか平気だな、ねえ、明日からもがんばろうね、あんたたちすごいって、亮子さんに言わせようね。隣の布団に横たわるナナコに、葵はそう言いたかったが、けれど口を開くのが億劫《おっくう》なほど疲れていて、言葉にならない単語を口のなかでつぶやいて目を閉じた。眠たいと思う間もなく、落ちるように眠っていた。

五日もするとだいぶペースをつかむことができた。朝は七時に起きて、宿泊客の食事の用意をし、食堂とロビー、出入り口前を掃除して、朝ごはんを食べる。八時ごろから客が起き出し、その都度朝食を出して、手が空けば真野家のほうの食事や掃除の手伝いをする。だいたい十時には、客は全員出払うから、客室の掃除をミサ、亮子と四人ではじめる。それが済むと今度は風呂、トイレ、廊下、食堂と掃除は続く。昼前に二台の洗濯機をまわし、客室のものも真野家のものもナナコや葵のものも全部一緒に洗う。それから亮子が作った昼食をとり、後かたづけをし、洗濯ものを干す。これが二時までに終わっていると、四時まで休憩時間をとることができた。ばたついて食い込むと、それだけ昼の休憩時間は短くなる。四時からはアイロンがけをしベッドメイクをし、夕食の準備に取りかかる。おつかいがあれば手が空いているほうが駆り出される。宿泊客の夕食が終わるのがだいたい八時半、それから真野家の夕食があって、双方の食堂と台所を掃除して終了は十時。もっと手早くすめば九時半に終わることもできた。

仕事がすべて終わればそれだけ自由時間が増えるから、ナナコと葵は無駄口もたたかず、さぼることもせず夢中で働いた。自由時間は、部屋にこもって化粧をしあい髪を結いあうこともあれば、真野家の食卓で勉強をすることもあった。ときには夜の浜辺まで散歩に出かけ、宿泊客たちが砂浜で興じる打ち上げ花火を見物して歩いたりした。

町を歩いているのはみんな泊まりにきている若い男女ばかりで、至るところに、休暇の浮ついた雰囲気が漂っていた。夏のあいだだけ営業するのだろうカフェバーがそこここにあり、毎夜騒々しい音を競い合っていた。休憩時間に海に泳ぎにいくと、黒光りするほど日に焼けた男の子が陽気に声をかけてきた。干物屋や漬物屋の軒先を通ってもムスクのきついにおいが鼻をかすめた。自分たちと年のそう変わらない男女が、海岸で抱きあったりはしゃいでいたり、車に箱乗りして騒いでいたり、水着から水を滴《したた》らせてスーパーで買いものをしていたりした。葵にしてみれば、けれど彼らはとても遠い世界の住人のように思えた。彼らが風呂場で流した砂を、しゃがみこんで洗っていることのほうが、どうしたって現実感があった。働くことは楽しかった。手足を動かし続けることには不思議な解放感があった。

「アオちん。あたし、この町の子に生まれたかった」

真野家の食卓で、英語の参考書を開いたナナコがぽつりと言った。頭上では明るすぎる蛍光灯が、のっぺり白い光で部屋じゅうを照らしている。廊下の奥から、ミサの見ている時代劇の音声が聞こえてくる。

「あたしもそう思ってた」葵はぬるい麦茶を一口飲んで薄く笑う。

「やっぱり？　海があるって、なんかいいよね」

「そうなの。気持ちが楽になるっていうかさ、許されるって感じしない？」

「そうそう、夏にさ、高校生や大学生がこの町にくるの、なんかわかる。泳ぐってのもあるけど、もっとべつに何かあるんだと思う」

ナナコは真顔で言って、言葉を切って蛍光灯を見上げている。ちいさな羽虫が飛んでいた。

「あたしさあ。べつにひどい不幸を背負ってるとかそんなことなくて、どっちかっていったらきっと幸せな子どもで、だから甘ちゃんなんだと思うけど、なんか急にいろんなことがうわあっていやになること、あるの。全部人のせいにして、馬鹿野郎って叫んで、逃げちゃいたくなるようなこと。でも、ここへきて思った。こんなところで生きてたら、そうなったら海見にくればなんか気持ちとか、落ち着きそうって。あとさ、こういうところで遮二無二《しゃにむに》働いたら、なんかスカッとしそう。だれのせいにもしたくなくなる感じがして」

葵はしゃべった。自分でも何を言っているのかわからなかったが、けれど、口にしてみると、こういうことをナナコに話したいと、ずっと長いあいだ願っていたようにも思えた。

「なーにー、あんたたち、好きな男でもできた？　夏の恋の打ち明け話してんの？」だみ声を響かせながら亮子が食堂に入ってくる。

「違いますよ、あたしたちずっとここで働きたいって、そういう話してたの」ナナコが言う。

「まじかよー？　いいよ、うちに就職しても。正社員はもっと重労働だけどいいの」亮子は豪快に笑う。

「おばさん、あたし本気でこういうところで働きながら暮らしたい」葵は言った。

「ばかね、あんた期間限定だからそんなぼうっとしたこと言ってられんの。あたしだって、あんたんちいったら、ここにいたい〜って、目を輝かせて言うと思うよ」

亮子は冷蔵庫から麦茶を出し、ナナコと葵のグラスにつぎ足した。自分はロング缶のビールを取り出して、立ったまま喉《のど》を鳴らして飲んでいる。

「やーだ、じゃあきてみてくださいよ、一日でぜったいいやんなるよ、ね？」

「そうだよ、川しかないもん、あとは学校ばっか。学校ばっか多いけど、みんな頭のいい学校だから、あたしたちのこととか馬鹿にしちゃって、つーんとしてるし。かっこいい男の子いないし」

亮子はしゃがみこみ、放置してある段ボール箱を開け、半透明の袋に入った煎餅をとりだした。床にそのまま座りこみ、袋に手をつっこんで煎餅をぼりぼりと嚙《か》み砕く。

「何よ、ここだって海しかないよ。あたしだって、あんたたちのころ、ここがいやでたまらなくて、笑っちゃうけど、バイトいったんだよ。ここよりは全然立派な旅館にね」

「えー、どこですか？　伊豆？」ナナコがテーブルに身を乗り出して訊く。

「ばっかだね、近所なんかいくわけないだろ、山だよ山。長野のさ、戸隠、知ってる？　高校一年のときはじめていって、宿の人がずいぶんよくしてくれて、その年の冬も、次の年の夏もいって。結局、学生のあいだ、ずっと山で働いてたな」

亮子は言ってふと黙り、手のなかのビール缶を見つめる。食堂のガラス戸は開け放たれて、網戸にはちいさな羽虫が幾匹もへばりついていた。食堂の蛍光灯が庭に明かりを投げ、暗闇のなか、物干し竿や真之介のおもちゃの車がぼんやりと浮かび上がっている。るるるる、るるるると、聞いたことのない声の虫がひっきりなしに鳴いている。亮子はふと顔を上げ、

「ね、まさかと思うけど、あんたたち家出じゃないよね」

葵とナナコを交互に見て、真顔で訊いた。

「ちがいますよ」

「まさか」

葵とナナコは同時に答える。

「そうだよね、今の子はそんなに馬鹿じゃないよね」亮子は言って、背をまるめて笑った。

「あたしさ、高三の夏かな、いつもどおりバイトして、でも急に帰るのがいやになっちゃってね、だって帰ったって進路だろ？　あたしたちの時代って、学歴学歴って急に言われるようになって、受験戦争なんかいきなり激しくなって、でもそのわりに、あたしたち高校生のなりたい職業ナンバーワンって専業主婦だったりして、とにかくなんていうか、全体的な空気がシンプルじゃなかったわけさ……っていっても、そんなに昔の話じゃないよ、ついこないだだよ、こないだ」

「それで？　逃げたんですか」ナナコは冗談めかして言い、笑った。

「そうなの、逃げたんだよ」けれど亮子は笑わずに答える。「旅館でアルバイトが一緒だった大学生についてっちゃったの。好きでもなんでもないのにさ、帰りたくないって一心で」

ぺたりと床に座りビールを飲む亮子の、ぱさついた茶色い髪や、化粧気のない顔、首まわりののびたTシャツを眺めまわし、葵は高校生だった亮子を想像しようとした。セーラー服を着ているがたいのいい少女が薄ぼんやりと浮かぶ。

「東京にいけるって信じてついていったのに、そいつんち、東京ったってはずれのど田舎。そっちに大学があったんだね、田んぼのなかの薄汚いアパートでさあ。……あんたたちの訊きたいことはわかってるよ、もちろんそいつがはじめての相手だよ、だってしょうがないだろ？」

「それってひょっとしてフトシさん？」亮子を遮ってナナコが訊いた。亮子は目玉を丸くしてまじまじとナナコを見、次の瞬間仰向けに倒れて笑い転げた。

「んなわけないだろー？　そんなうぶじゃないよ」天井を向いたまましばらく笑っていた亮子はむくりと起きあがり、「そのぼろアパートの大家から、女連れこんでるってクレームがきてさ、それでやむなく帰ったの。お金もつきちゃったし」

「えー大学生は？」

「ちょっとはやりとりしたけどさ、ほぼそれきりだね。そいつ、次の年から山のバイトこなくなったしね。ま、そんなわけだから、今話してるうち、あんたたちも家を出てきたんじゃないかってふっと心配になったってわけ。でも、今の子はもっと頭いいよね」

亮子は言って立ち上がり、飲み干したらしいビール缶を握りつぶした。煎餅の袋を葵とナナコの前に置き、

「ねえねえ、それよっかあんたたち、あたしのいらない化粧品あげようか？　知ってんのよ、あんたたちがいつもこっそり化粧研究してんの」

話題をかえた。

「えー、まじですかー？　おばさん化粧品持ってんの？」

葵とナナコは声を合わせて言い、亮子にぎろりとにらまれた。

「持ってくるから好きなの選びなよ。あ、それよりあんたたち、もうすぐドラマはじまるんじゃないの、あんたたちの好きな不良のドラマ。居間いってテレビ見てな、持ってくから」

亮子は言って、どすどすと大きな音をたてて廊下を走っていった。葵とナナコは顔を見合わせて笑った。るるるる、るるるると、暗い庭から重なり合った虫の音が聞こえてくる。

去年、葵が高校一年の時にはじまった断続的ないじめは、高校二年になってさすがに終わったが、高校二年になって、何かもっと陰険なムードが学年じゅうにながれるようになった。カースト制度ってこんな感じなのかね、などと、当初葵は呑気《のんき》にナナコと話していたものだった。高校二年にあがり、クラスがかわり、従ってグループもかわった。葵とナナコはべつのクラスだった。葵は新しいクラスで、また余りものめいたおとなしい生徒たちとグループを組み、ナナコは相変わらずどこにも属さずにひとりでうろついていた。

一年生のとき、積極的にいじめに加わっていた、派手なグループやおしゃれなグループの生徒たちが、いわばカースト上部に位置していて、一度カースト最下位になってしまった生徒は、なかなかその地位から抜け出せず、かつてのようにおもてだっていじめられることはなくなったが、ずっと使い走りをさせられたり、無視をされたり、からかわれたりし続けていた。葵たちは目立たなすぎて最下位は免れていたし、ナナコはカースト外で好きにふるまっていた。

ナナコとの待ち合わせはしかし以前と同じく校外で、落ち合って河原へいき、買い食いをしながら、突然生じたカースト制についてよく話したり、笑ったりしていた。結局さ、のっぺりしすぎてるんだよ、とナナコは言っていた。何もかもがのっぺりしてる。毎日、光景、生活、成績、全部のっぺりしてるから、いらいらして、カーストみたいな理不尽な順位をつけて優位に立ったつもりにならなきゃ、みんなやっていられないんじゃないかな。

この学校の生徒たちには選択権がない、だから同じ地点に立っているしかない、というのは、葵も感じていたことだった。そもそも進学校ではなく、学校自体のモットーが設立当時とかわらず未だ「良妻賢母」で、けれど結婚に夢を見られるほど女子生徒たちは前時代的でもない。しかしだからといって高校の偏差値が上昇することはなく、そもそもカリキュラム自体が他の学校とは異なり、ずいぶんのんびりしているように葵には感じられた。中学ではぎりぎり落ちこぼれずにすんだ葵は、この高校でいつも上位の成績をとっていた。けれどもしトップになったとしても、大学進学はよほどがんばらなければ難しいということを葵は理解していた。

　高校卒業後ほとんどの生徒が、やりたいことも定まらないまま、しかし働きたくないという理由だけで専門学校か近隣の短大に進み、同じ顔ぶれでつるみ続け、文句ばかり言い連ねることを覚え、何も学ばないままそこも卒業し、合コンやナンパで知り合った土地の男と結婚していく。そんな図式が、この町に住んでまだ一年と少ししかたっていない葵にも理解できた。多くの卒業生がたどった経路を、自分たちも遠からずなぞることになるとだれもがうすうす知っている。わかりすぎる未来に対して、早くも倦《う》んでしまった空気が高校二年になってから色濃く流れはじめた。小学生のようないじめをするほど幼稚ではないが、けれど何かむしゃくしゃする、人を見下し順列をつけ優位に立ちたい。そんな気分が、どこにも出口を見つけられないまま鬱積《うっせき》していっているように、葵には感じられた。

　鬱積した気分も、にわかカースト制度も、定石通りの未来も、自分たちとは関係ないと思っていた葵とナナコは、そんなふうにクラスの悪しき雰囲気を分析し、考察し、だれも持ち得ない未来の選択肢について、流れる川面に石ころを投げながらいつまでも話していた。

　ところが、一年前の葵の懸念が現実になってしまった。中間試験が終わったころから、どういう理由でか、ナナコが学年じゅうから無視され、からかわれ、蔑《さげす》まれるようになった。ナナコにむけられた中傷を、葵もずいぶん耳にした。八方美人のコウモリ女というところからはじまって、父親はアル中で入院中、母親は売春を内職にしているホステスで、妹は万引き常習犯のヤンキー、親子四人で二間しかない県営住宅に住んでいて、ナナコが摘んだ道ばたの雑草が毎日の夕食らしい、というのがそれで、エピソードのあまりの幼稚さ、ありきたりさに葵はあきれかえったのだが、しかし同時に、ナナコと校内で親しくしていなくてよかったと瞬間的に思ったのも事実だった。その直後、例によって葵はひどい自己嫌悪におそわれたが、しかしナナコの家のことを何も知らないことに思い至り、それで自己嫌悪を和らげることができた。クラスの子から聞いたあの中傷を、したり顔であたしは聞いたけれど、でも打ち消すことなんかそもそもできないじゃないか、だってあたしはナナコに妹がいるのかどうかなんて知らない、父親が果たして入院しているのか、二間の県営住宅に住んでいるのか、なんにも知らないんだから、かばいようがないじゃないか——と。

貧乏を意味するはやり言葉で、マルビちゃんと呼ばれるようになったナナコは、しかしそういういっさいを、本当に何も気にとめていないように葵には見えた。晴れた日には河川敷で、雨の日には橋のたもとで、夜にはコードを引っ張った電話で、こっそりやりとりする手紙で、相変わらず言葉を交わすナナコに変わったところは何も見受けられなかった。無視され出して、かえって自由にふらついていられるようになったと思えるほどだった。弁当の時間、ナナコは校内を抜け出しどこかへいってしまったし、休憩時間はだれもいない美術室でひとり、ウォークマンのイヤホンを耳に突っ込んで窓から外を眺めていた。

通りすぎざま、そんなナナコのうしろ姿を見かけるたび、葵はナナコの声を思い出すのだった。あたしなんにもこわくないの。そんなとこにあたしの大切なものはないの。実際そうなのだろうナナコの潔《いさぎよ》さに葵は強い憧憬《どうけい》を覚え、同時に理解不能な苛立ちも覚えた。

ねえ、ナナコんちに連れてってよと、夏休みの直前に葵が言ったのは、そんな苛立ちの気持ちからだったかもしれない。こなくていいよ、うちなんかおもしろくもなんともないよ、ナナコは笑ってそうくりかえしたが、葵は食い下がった。ナナコは何回もうちにはきてる、それに突然きたこともあった、だったらあたしだっていってもいいでしょ？　ナナコは諦《あきら》めたような顔で、いいよわかった、と答えた。いつも笑ってばかりいるナナコの表情が、困惑か動揺か諦めか怒りか、それはわからないがとにかく大きく揺らぐのを、はじめて葵は見た気がした。

一カ月ほど前のそんなできごとを思い出しながら、両手にスーパーのビニール袋を提げ、葵は海沿いの道を歩く。太陽は三分の一ほど右手の山に隠れ、景色は橙に染まっている。蝉《せみ》の鳴く声があたりに響き渡り、砂浜からバーベキューのにおいが漂ってくる。ぺたぺたとビーチサンダルを鳴らして先を急ぎながら葵は海を見やる。遊泳時間は終わっていて泳ぐ人の姿はないが、沖のほうでサーフィンの帆がいくつも浮かんでいる。ねえねえ、おねえさん、どこの民宿で働いてるの？　砂浜から道路を見上げ、若い男が声をかけてくる。ちらりと見やって葵は無視して先を急いだ。ねえねえ、夜いっしょに花火しようよー、声は追いかけてくるがふりむかない。

ナナコの家に無理矢理押しかけたあの日、葵はある決意をした。母親にどんな嫌味を言われてもいい、仕送りを送ってもらえなくてもいい、夏が終わったら死にものぐるいで勉強して、ナナコと東京の大学にいこう。ナナコはあの偏差値の低い学校でもすでに成績が悪いから、同じ大学にいくには必死で勉強してもらわなくてはいけない。バイト代をつぎこんで二人で予備校に通ったっていい。最悪の場合、学校が違ってしまっても仕方ない。とにかく家を出、アパートを借りて東京で二人で暮らそう。

夏のはじめのその決意を胸のうちでくりかえすうち、葵は亮子の話を思い出した。自分たちと年のかわらなかった亮子の決意。おばさんはひとりだったけれど、私たちは二人だ。だからおばさんのように男になんかたよらない。二人でなんとかしてみせる、絶対なんとかなるだろう。あと一年半もあるのだ。

「アオちーん」

名前を呼ばれ、顔を上げる。ペンションの前の道路に、真之介と手をつないだナナコが立って、大きく手をふっていた。日に焼けたナナコの顔も手足も、真之介の頬も服も、橙色に染まっている。

「お帰りー！　今日の夜おじさんがお寿司食べに連れてってくれるってー！」

ぴょんぴょん飛び跳ねながらナナコは言う。ナナコと真之介の体をすっぽりと包むように、蟬の声が幾重にも折り重なっている。

伊豆急の駅まで、亮子が車で送ってくれた。すっかりなついた真之介は、二人が車から降りるときぎゃんぎゃん泣きわめいて、思わず葵ももらい泣きしてしまったほどだった。来年もおいで、亮子はそれだけ言うと、運転席の窓を閉め、あっさりと車を出してしまった。

「なんかクール」遠ざかっていく車を見つめ、葵はぽつりと言った。

駅の売店でジュースを買い、券売機で切符を買って、無人駅のホームに向かう。時刻表を見ると、次の電車がくるまであと二十分もあった。葵とナナコはベンチに腰かけ、ひっそりとジュースを飲んだ。反対ホームの向こうは鬱蒼《うっそう》と木々が生い茂っている。木々の合間から、わき上がるように蟬の声が響いてくる。お盆を過ぎてから客足はまばらになり、この一週間、ペンションもずいぶんひまだった。駅にもまるでひとけがなく、ふりかえると、あれほどにぎやかだった海も静まりかえっている。何軒かの海の家が解体工事をしていた。

「来週から学校だね、なんか信じられない」

ベンチに座り、日に焼けた脚を伸ばし葵は言った。ナナコは何も言わずジュースを飲んでいる。

「ねえ、来年もこようよ、絶対」

葵はナナコをのぞきこむ。そうだね、ちいさく言って笑うナナコを見て、ずいぶん感傷的になっているんだなと葵は思った。おばさんがあっさり別れていったから、がっかりしているのかもしれないとも思った。ナナコを元気づけたくて、葵はナイロンのバッグから給料袋を引っ張り出した。

「ね、いくら入ってるか見ちゃおう」おどけた声で言って、封を切る。芝居じみた仕草でふっと息を吹きこみ、封筒に片目を近づける。「あ、なんか手紙入ってる」重なった紙幣の上に、几帳面に折りたたんだ便箋が入っていた。それを取り出し、広げた。ミッキーマウスの便箋に、子どもみたいな下手な字が書き連ねてあった。亮子からの手紙だった。

「うわ、おばさん、字きたなーい。えーと、なになに？ ならはしあおいさま。のぐちななこさま。ひらがなだよ。短いあいだでしたが、どうもありがとう。あなたたちと過ごせて、とても楽しかった——だって。じつは私たちのペンションは、できてまだ二年目です。去年、何も知らずにアルバイトをやとって、なんと売り上げを持ち逃げされてしまいました……だって！　まじかな、これ？　続き読むね。私たちもずいぶん甘いところもあり、マヌケなところもありました。何しろ一年目で、なんにもわかっていなかったから。すったもんだがあって、その後一件落着しましたが、でも私はそれにずいぶん傷つけられた。ペンションをやっていくこと、他人を受け入れることの自信がなくなったのです。もともと、義母や夫には反対されていたことなので、すごく気弱になっていた。今年はだから、田舎の素朴な高校生を選んだのです。括弧してごめん！　って書いてある。えーと、それでも最初私はあなたがたをも疑っていた。はずかしいです」

葵はそこまで読んで、言葉を切った。隣に座るナナコをちらりと見やる。ナナコはうつむいて、じっと聞いているようだった。葵は続けた。

「だけど、本当にあなたたちがきてくれてよかった。あなたがたは、自分で思う百倍も千倍も、ものすごくよくできた、すばらしい女の子です。どれだけ助かったか。そして私がどれだけ救われたか。そのことを伝えたくて、手紙を書きました。本当にありがとう。来年も、ううん、冬でも、アルバイトじゃなくても、遊びにきてください。みんなで待っています。リョウコ」

葵は最後まで読んで、男子生徒みたいな乱れた字をじっと見つめた。来年もおいで、た。


と視線をそらしてぶっきらぼうに言った亮子を思い出す。助手席でわんわん泣いていた真之介も。葵は急いで手紙を給料袋にしまい、ナイロンバッグの奥深くにつっこんだ。

「ナナコ、もうそろそろ電車くるよ」葵は立ち上がって、うつむいているナナコに言った。

「ジュース飲んだ？　缶、捨ててきてあげる」

何層にも重なった油蟬の鳴き声の奥に、カナカナカナカナとささやくようなひぐらしの声が聞こえた。目の前の木々は、夏休みの最初にここに着いたときと同様の色濃さで生い茂っているのに、もう秋になりはじめているのだと告げているように、葵には聞こえた。

電車の音がちいさく聞こえ、次第にそれは大きくなってきて、まっすぐ続く線路の向こうに白い車体があらわれる。ホームに立った葵は、ベンチに座ったままのナナコをふりかえった。

「ほらナナコ、電車きたよ！　乗るよ」

それでもナナコは立ち上がらない。轟音《ごうおん》をたて電車がすべりこんでくる。ドアが開き、葵は乗りこんだ。数人が降りていく。観光客ではない、この町の人々だ。買い物袋を提げたおばさんや、塾の鞄を斜めがけした小学生。夏休みの最初の日、地元の電車で見かけたようなふつうの人たち。

「ほーらー、ナナコ！　次の電車、一時間後だよ！　乗ってよー」

電車の入り口から身を乗り出して葵は叫んだ。けれどナナコは身動きせず、顔も上げない。

駅員の吹く笛の音がちいさなホームに響き渡り、葵は仕方なく電車を飛び降りた。電車はドアを閉め、ホームに二人を残してゆっくりと走り去る。電車を降りてきた人々は、収集箱に切符を入れ、改札を出ててんでんばらばらに歩いていく。

「どうした、ナナコ」

ベンチに近づきながら、ナナコの様子がへんであることに葵はようやく気づく。

「どっか痛い？　忘れもの？　亮子さんになんか言い忘れた？」

ナナコの前にしゃがみこみ、子どもにそうするように葵はゆっくりと、できるだけやさしい声で訊いた。

「アオちん、あたし」

うつむいたナナコが、絞り出すような声でつぶやく。

「うん、何さ、言ってみ」

葵はナナコの膝に手をかけて訊く。ナナコは少し顔を上げ、しゃがむ葵と目を合わせた。

「あたし、帰りたくない」

ナナコは言った。

「あたしだって帰りたくないよー」葵は笑ったが、それを遮ってナナコはくりかえす。

「アオちん、あたし帰りたくない、帰りたくない、帰りたくない、帰りたくない、帰りたくない、帰りたくない」

ナナコのまるい目玉から、ぎょっとするほど大きな水滴がぼとりと落ちる。

「帰りたくない、帰りたくない、帰りたくない、帰りたくない、帰りたくないんだよ」

ナナコは膝に置かれた葵の両手を強く握りしめてくりかえした。

葵は両手を握られたまま、呆然とその場にしゃがみこんでいた。目の前にいるのが、よく知っている女の子だという気がしなかった。この人はだれだ、なんであたしはここにいるんだ、なんで手をつかまれているんだ、葵はあわただしく考える。今ごろ本当の自分は、ナナコと一緒に電車のボックス席に座り、給料袋に入った紙幣を数えているように思えた。

ナナコの目から落ちる水滴は、ナナコの膝丈パンツに次々と落ちてしみを作る。ベージュの生地にできるゆがんだ水玉模様を葵は眺める。ナナコが強く握る葵の手は白くなっている。葵はおそるおそる視線をあげ、うつむくナナコをのぞきこんだ。大粒の涙をこぼし鼻水を垂らし泣いているナナコの顔には影が落ちていて、葵はふと、深い深い井戸の底をのぞいているような気分を味わう。真っ暗で、がらんどうで、その奥に何があるのかもわからないような井戸の底。

ナナコという人のことを何も知らなかったのだと、ある驚きをもって葵は思った。ナナコの家を訪ねてから、ナナコという人のすべてを知ったような気になっていた。あるいは、目に見えるナナコだけが本物のナナコだと思おうとしていた。

いつも笑っていて、おばさんのように人なつこく、肯定的なことを言い、嫌いより好きだという表現を用い、みんなに無視されたってこわくないと宣言し、校外でしか話しかけてこない葵を許し、三つ先の駅で待ち合わせようと葵を気遣い、毎日毎日言葉を交わし続けてきたナナコ。けれど本当のナナコの姿はそのどれでもなくて、今自分が感じたような深い深い空洞こそが彼女なのではないか――葵はぼんやりとそんなことを考えていた。

蟬の声が一瞬遠のき、潮のにおいを含んだ風が葵の額をなでていく。うつむいてベンチに座るナナコのうしろに、表面をガラスのように光らせた海がある。ナナコのパンツについた水玉のしみをじっと眺め、

「わかった、帰るのやめようナナコ」

葵は言った。ひぐらしの声が、どこか遠くから重なって聞こえてくる。

7

プラスチックの風呂椅子にびっしりこびりついた湯垢とかびは、どれだけ力をこめて磨いてもなかなか落ちない。洗面所に落ちていたカビキラーを使いたいが、それは禁止されている。手持ちの洗剤だけでなんとかしなくてはならない。

さっき見た台所もすさまじかった。油で汚れたガス台には埃と髪の毛がはりついていた。台所を担当しているのは関根美佐緒だ。中里典子と二人一組で掃除している。

もう一度風呂椅子と洗面器を風呂にはったぬるま湯につけて、そのあいだに排水口の掃除をする。プラスチックの蓋をとると、ヘドロと髪の毛が混ざり合い、ほとんど口はふさがれている。小夜子は割り箸で汚れを掻《か》き出していく。

あと数日で中里典子の研修は終わる。研修現場が空き部屋から実際に人の住む家にかわったのは八月に入ってからだ。人数は中里典子が指定する。小夜子ひとりのときもあれば、関根美佐緒や長谷川マオと連れだっていくこともあった。中里典子か、彼女の会社の女性とともに掃除をする。

今日の顧客は、築後そんなにたっていないマンションに住む、ごくふつうの主婦だった。小夜子と年もかわらないように見える。同じマンションで顔を合わせてもなんの不思議もないような、物腰のやわらかい、愛想のいい女だった。依頼箇所は台所と風呂場とトイレで、いつもどおり小夜子は中里典子に連れられて、関根美佐緒とともに部屋にあがったのだが、女の雰囲気と、依頼箇所の汚れ具合の、あまりの落差に唖然《あぜん》とした。女は糊《のり》のきいたシャツに花柄のスカートという、清潔感あふれる格好をしているのに、台所はゴミと油と食べかすで汚れ、風呂場はかびだらけ、トイレの床は埃まみれ、便座のなかは黒ずんでいる。関根美佐緒にちらりと視線を投げると、彼女はかすかに眉をあげて見せた。

中里典子と掃除手順の打ち合わせをし、関根美佐緒と彼女が台所をやっているあいだ小夜子は風呂場を任せられた。よろしくお願いしますと愛想よく挨拶した顧客は、小夜子たちが掃除をはじめると、リビングでずっと子どもとテレビを見ている。あかりとそう年のかわらない女の子だった。

子どもを抱いてテレビを見ている彼女は、悩みなんかないのだろうか。小夜子は思う。一日家にこもってビデオを見ているが、ビデオを流しっぱなしで子どもの情緒が育たないんじゃないかなんて、不安に思うことはないのだろうか。それにしても、どうしてこうどこもかしこも汚し放題で平気なんだろう。有害なかびもあると知らないのか。大事に抱きしめてる子どもが風呂場でかびを触り、その手を口に入れないともかぎらないのに。排水口の奥から、絡《から》まり合った髪の毛がずるずると出てくる。悪臭が鼻をつく。小夜子は顔をしかめ、それをポリ袋に捨て、専用の洗剤を排水口にふりかける。スポンジを泡立て、四つん這いになって赤くかびた風呂場の床を磨く。汗が額からこめかみに流れ落ち、顎の下で数秒止まってぽとりと落ちた。

「田村さんさあ」バンの後部座席に関根美佐緒とともに乗りこむと、運転席の中里典子が険しい顔で言う。「あなたも主婦だから、おもしろくないのはわかるわよ、なんで家にいんのに掃除くらいしないのかって思う気持ちはわかるけど、それを顔に出しちゃだめなんだって。それからね、あなたたちお客さんの家で目配せするのはやめなさい。気づかれないと思うだろうけどお客さんはそういうの、空気で感じるの」

ついさっきは、顧客の女ににこにこと挨拶をしていた中里典子は苛ついた声で言う。エンジンをかけ、車を発進させる。関根美佐緒はうつむいて小夜子を見、ちいさく舌を出している。

「え、私」小夜子は口を開いたが、中里典子に遮られた。

「そんなことないとは言わせないわよ。お客さんはね、とくに女性の場合、ものすごくそういうの敏感なの。家の一部を他人に触らせるんだから、信用関係がなくちゃできないことなのよ、でもどれだけ信用を勝ち取ったって、ああいう見下した態度を一度でもとったら、もうそれで終わりなの。私たちは雇われてる人間なの、わかる？　同じ主婦だとか、同じ女だとか、そういう目で見なさんな、お客さまをさ。はい返事」

「はい」小夜子はむくれた顔のまま低く答える。続けて関根美佐緒もまじめくさった声ではいとつぶやいた。バンは地下の駐車場を出、螺旋《らせん》状のスロープをぐるぐるとあがっていく。橙に染まった夕暮れの空が、徐々に見えてくる。

「掃除はいいのよ。田村さんは物覚えもいいし、仕事もていねいで、それはもう安心して任せられる。けどね、留守宅と人の家を扱うのとはわけが違うの。これ、何度も言ってるのにどうしてわかんないかなあ。今日もしあなたたちだけだったらうちは確実にお得意さんをなくしてた。ひとりだけじゃない、あの奥さんが知り合いに悪い評判を吹きこんでごらんなさいよ。仕事ってそういうことで成り立ってんのよ。オプショナルサービスのこととかあなたよく質問するけどさ、接客の基本がなってなきゃそんなのもなんにもなんないの、わかる？」

延々続く中里典子の説教を小夜子はうつむいて聞いていた。うつむいて、ふやけた自分の指をこすりながら。

最寄り駅で降ろしてもらい、小夜子は関根美佐緒と電車に乗って大久保を目指す。

「中里さんって妖怪みたい。ちらっと目を合わせただけなのにね。どこの目であたしたちのこと見てんだろ。ボス、べつに気にすることないよ」

関根美佐緒は実際何も気にしていないように明るい調子で小夜子に言った。近ごろ、プラチナ・プラネットの面々は小夜子をボスと呼ぶ。掃除に関しては田村さんがボスだから言うことを聞くようにと、みな葵から言われているらしかった。

ビルに半分隠れた太陽が、連なる屋根を橙色に染めている。電車のドアにへばりついて、流れ去る町並みを見下ろし小夜子はため息をついた。

「あーもう疲れたー、甘5クラス。今日の人の台所、もうすごいのすごくないのって」

事務所につくなり関根美佐緒は大声で言う。ダイニングテーブルで作業をしていた長谷川マオと山口さんが顔をあげる。

「お帰りなさーい、甘5ならちょうどよかった、あのねさっきラッキー企画の佐山さんがケーキ持ってきてくれて。お茶すぐ入れますね」

「やったー、ケーキ食べたかった!」

「それがね関根さん、アテスウェイのケーキなんですよ、もうあたし佐山さん大好き」

「うそ、まじ? 食べたかったのー、アテスウェイ!」

関根美佐緒はダイニングの空いた椅子に腰を下ろす。小夜子もその隣に座って日誌を広げた。

「ボス、そんなのあとでいいよ。とりあえず一休みしましょうよ。ひょっとしてボスは甘じゃなくて辛5？　中里さん、今日は機嫌悪くてさあ。あれほとんど八つ当たりだよね」

関根美佐緒は小夜子をのぞきこむ。小夜子は曖昧に笑った。甘だの辛だのというのは事務所内の共通言語だと、最近小夜子は知った。理不尽なことや腹のたつことがあった場合はうんと辛いものを食べて発散しよう、体がへとへとに疲れたときは甘いものでまったりしよう、というような意味合いらしい。その日の仕事の具合を、まるで茶化すように彼女たちは甘辛の五段階で表現しあっている。

小夜子は日誌をわきへよけ、長谷川マオが出してくれたケーキを食べはじめる。関根美佐緒は身を乗り出して、今日の現場を長谷川マオと山口さんに説明していた。「社長室」からのそのそと葵が出てきて、椅子を持ち出してテーブルに加わる。

「なんかボス、元気ないじゃん」葵も小夜子をボスと呼ぶ。

「怒られちゃって」小夜子は肩をすくめてみせる。

「怒られた？　なんで？」

「私、思ったことがすぐ顔に出るみたい」

「っていうか、中里さんって気分屋ですよね？　今日はボスに集中攻撃」ケーキを頬張った関根美佐緒が言う。

「中里さんが言うようにおもしろくないわけじゃなくて、ただびっくりしちゃうの。自分と同い年くらいの人が、自分と同い年くらいの子どもと住んでて、どこをどうしたらあそこまで汚せるのかなあとか、これだけ掃除しても数日で元通りだろうなあとか」

「でもさあ、そういう人いてくれないと商売はじめられないじゃん。中里典ちゃんが何言ったか知らないけど、実際掃除し終わって部屋を出るなり『きたねーな』とか言ってたら、そういうのって伝わっちゃうんじゃないの」葵が言い、

「でも本当に汚いんですもん」関根美佐緒が返すと、

「観衆の心をとらえる方法はひとつしかない」宙を見据え野太い声で葵が言う。「それは誠実かつ謙虚な姿勢で観衆に訴えかけること」

「なんですか、それ」長谷川マオが笑い出す。

「知らないの？　フランク・シナトラの名言だよ。顧客の心をとらえる方法はひとつしかない。それは誠実かつ謙虚な姿勢で顧客に訴えかけること」

「研修が終わって、自分たちだけで掃除するようになったら、自然とそうなるとは思うけれど。だってそれでお金をいただくんだから」山口さんがおっとりと言う。

「でもさあ、依頼すぐきますかね？　もうすぐ研修終わりでしょ？　あたしたちなんか

車もないし、名前だってないも同然だし、あたしだったらあたしたちには頼まない」関根美佐緒が言う。

「ちょっとそりゃないんじゃないの」と葵は顔をしかめる。

「いいじゃないですか、本業に専念しながらゆっくり待てば」と言う長谷川マオを遮って、小夜子は身を乗り出した。

「うちにね、よく便利屋さんや家事代行のチラシが入ってるの。それで、保育園のおかあさんたちに頼んで、そういうチラシ集めてみたのね。たとえば今の車の話だけど、掃除業者が出入りするところを隣近所に見せたくないってお客さんもいるみたいなのよね、だからロゴ入りの乗用車がなくって少人数制のところを、逆に強調して宣伝したらどうかと思うの。見積もりから業務まで、同じ人間が責任を持って受け持ちます、とか」

保育園で顔を合わす母親たちに、掃除関係のチラシをくれないかと頼むのは勇気が要ったが、幾人かはおもしろがって、数日後早速、束にして持ってきた。それをきっかけに、親しく口をきく母親が以前より増えたことを小夜子は思い出す。

「さすがボス、ちゃんと考えてるんだ」関根美佐緒が小夜子をまじまじと見る。

「それなんだよね、今ネットにのせる広告案作っててさあ、特色っていうか個別化みたいなことを私もずっと考えてはいたの。エアコンとか網戸の掃除を最初のうちはサービスするとか」葵が言う。

「それはどこもあるの」小夜子は言った。「もちろんサービスじゃなくてオプションだけど、価格も安いしあんまり珍しくない。だから家庭の雑用みたいなことをサービスにつけるとか。といってももちろんできることとできないこととあるんで、明記しないといけないけど、たとえば皿洗い、洗濯物をクリーニング屋に持っていったり持ち帰ったり、冷蔵庫のなかの掃除とか、あと、古新聞、古雑誌を束ねたり」

「あーこの事務所の冷蔵庫きれいにしてほしい」長谷川マオが言うとみんな笑う。

「そういえば、知り合いがね、掃除代行をお願いしたときに、電話受付も見積もりも掃除の人もみんな違うから、その都度説明しなきゃならなかった、って言ってたわ。ひとりが中心になって最後まで請け負うというのはいいかもね」山口さんが静かに言う。

「掃除をするのは主婦だってのを売り文句にしたらどうかな」関根美佐緒が言う。

「主婦って田村さんと山口さんだけだよ」

「私は主婦っていっても子どももいないし家のことなんにもしていないから」

「主婦って売り文句になるの?」煙草に火をつけ、煙を吐き出して葵が眉間《みけん》にしわを寄せる。「さっきの話じゃないけど、同じ主婦として何か思われたらいやだっていうの、あるんじゃないの」

「けど主婦だから気がつくところってあると思う。今日思ったんだけど、お風呂場のかびも、掃除してないエアコンの風も、陽のあたらない畳や布張りのソファも、ちいさな子どもには害になることってあるでしょ？　その危険性を訴えて掃除の必要性を促《うなが》すのは、主婦のほうが生の声って感じがするけどなあ」

「でも結局、どういう層をターゲットにするかって煮詰めなきゃね。典ちゃんはさ、シングルとか、あとは個人事務所とかをターゲットにして、絶対的に低価格でやったほうがいいって言うの。私も、一般家庭より、頻繁に旅行にいく若い人に利用してほしいんだよね。最初からそれだけに絞りこみすぎるのもまずいとは思うけど」

「じゃあ、もし楢橋さんがサービスを頼むとしたら、そのとき重要視することってどんなこと？」

　小夜子は訊いた。葵は目線を宙に浮かせたまましばらく考え、

「びっくりされないことかなあ」と答え、ちいさく吹き出した。「うち、汚いときってやばいぐらい汚いからさあ、頼みたいなって思うことあっても逆に頼めないの、こんな部屋見せられないって思っちゃって。だから『どんな部屋もたじろがず掃除します』なんて言われたら頼むかも。でもこれって、参考意見にならないよね。ボスはどう思う？子どものいる立場として、どんな業者が魅力的？」葵は小夜子に訊く。

「そうだなあ、まず価格。それから、やっぱり同じ立場の人がありがたいかな。うちは余裕があるわけじゃないから頼んだことないけど、でも子どもがもうちょっとちいさいころとか、頼みたかったたな。たとえば保育園に子どもを迎えにいったり、定期健診にい

っているちょっとした時間に、ささっとお風呂場だけとか、台所だけとかやってもらえたらすごく助かるかもしれない。子どもがうんとちいさいころは、年がら年じゅう不安だらけだったから、たとえば子育て経験のある人がね、掃除の合間にちょっとでも話を聞いてくれたらすごく楽になったかも、とも思う。話し相手なんてそんな大げさなことじゃなくても、実際子ども育ててる人が掃除にきてくれる安心感ってあると思ったのよね。赤ん坊のときの夜泣きとか、子どもが二歳のときの反抗期とか、私永遠に続くような気がしてたから……。これも、個人的すぎてあんまり参考意見にはならないかもしれないけど」

葵をはじめ女たちはみな、小夜子の話に耳を傾け真剣な顔で相づちを打っている。そうして話していることに小夜子は軽い興奮を覚えた。いつまでも話していたいくらいだった。仕事を辞めたこと、家にこもっていたこと、公園にいくのが億劫だったこと、雨が降るとほっとしていたこと、保育園はかわいそうだとくりかえされたこと、そんなすべてにずっと、かすかな罪悪感と鬱屈した気分を抱えていた。それが無駄ではなかったように小夜子には思えた。すべて意味があったではないかと。

「あっ、ボス、もう四時過ぎてる」

山口さんが時計を見上げて言う。研修を終えてからの掃除の話になると、つい時間を忘れてしまう小夜子を、今ではみんなが気遣って声をかけてくれる。この場所に自分の位置ができたことを、そのたび小夜子は実感する。

「お疲れさま」立ち上がる小夜子に、女たちは笑顔で言う。

「すみません、じゃあお先に失礼します」

靴を履き、まだテーブルに着いている女たちをちらりと見やって小夜子は玄関の戸に手をかける。煙草の煙のなか、女たちは額を寄せ合って談笑している。ドアを閉め小夜子は五階ぶんの階段を駆け下りる。空は淡い紫色に染まっている。

駅の駐輪場から自転車を出し、交差点を渡ったところでサドルにまたがる。駅から保育園までは自転車で七、八分の距離だ。銀杏並木の道を直進し、豆腐屋で左折して住宅街の路地を抜けると、二分程度だが近道になる。五時を過ぎているのに、昼間みたいに太陽は照りつけていて、豆腐屋にたどり着く前に小夜子のシャツは汗で背中にはりついてしまう。

こんちくしょう、こんちくしょう、と知らず知らず思いながらペダルを踏む足に力をこめている。だれかに毒づいているわけでもなく、何かに怒っているわけでもないのだが、ここ最近、ずっとそうつぶやきながら自転車を漕いでいる。七、八分の道のりなのに、いつも高速道路で渋滞にはまったような気持ちになる。こんちくしょう、と胸の内でつぶやくと、ペダルを踏む足に力が入り、一秒でも早く渋滞を切り抜けられる気がするのだった。

保育園の門の前には、母親たちが幾人かずつかたまって、門が開かれるのを待っている。小夜子を見ると幾人かが手をふったり挨拶したりする。「どう、掃除のほう」「私も頼んじゃいたいなあ。へそくり使っちゃおうかなあ」「へそくりなんてあるの」「なくてどうすんのよう」チーちゃんママは介護関係、レンくんママは生命保険会社、タッキーママはフリーランスで翻訳をしている。よく顔を合わせる彼女たちに笑顔で答えながら、彼女たちもみんな、こんちくしょうとかけ声をかけながら自転車を走らせてくるのだろうかと小夜子は思う。

開いている門から教室に向かう。あかりのクラスの窓から小夜子はなかをのぞいた。あかりは今日もひとり、みんなと離れたところでしゃがみこみ、ぬいぐるみを二体持って遊んでいる。ときどき顔を上げ、きょろきょろとあたりを見まわす。何度目かに顔を上げたとき、あかりは小夜子を見つけ、ぬいぐるみを放り出し一目散に駆けてくる。

「ママ、あーちゃんもね、今日はずっとママを見ていたよ」

腕のなかに飛びこんできたあかりはちいさな声でそう言った。

「だから今日は泣かなかったの。泣かなかったんだ、あーちゃん」

今にも泣きそうな声でそう続ける。

保育園にいきたくないと泣いていたのは、あかりではなくて私だったんだなあと、あかりを抱く腕に力をこめて小夜子は思う。義母の言うとおり保育園に預けられるあかりはかわいそうな子なのか、働きはじめたのは間違っていなかったのか、わからなくて泣き出したかったのは自分だったのだ。

「あーちゃん、えらいなあ。ママもあーちゃんのこと考えて今日一日がんばった」

いたい、いたいとあかりが笑いながら小夜子の腕を逃れる。あかりの澄んだ笑い声が廊下に広がる。あーちゃんママ、また明日ねー、と声をかけながら、母親たちが教室を出ていく。小夜子は大きく手をふった。


自分の家のダイニングテーブルに葵が座っているのはなんとも妙な光景だった。葵はノート型パソコンに顔を近づけたまま、ジーンズのポケットから煙草を取り出して口にくわえ、そこではたと気づいたらしく、くわえた一本をパッケージに戻している。

「楢橋さん、どうぞ、吸って」

ソファテーブルで作業をしていた小夜子は声をかけた。葵は照れくさそうな顔で小夜子を見、いそいそと換気扇の下に移動する。カウンターキッチンの向こうから、換気扇のまわる音が聞こえてくる。和室で絵本を広げていたあかりが顔を上げ、不安そうな顔で小夜子を見る。小夜子が笑いかけると、ママ見て、見て、と手招きし、絵本のなかのチンパンジーやキリンを指さす。

インターネットに広告を出すだけではなくて、チラシを作ってマンションや一軒家に配布してまわろうというのは、小夜子の提案だった。研修期間が終わっても、すぐ依頼がくるはずはないのだから、そのあいだ自分が歩いて投函しようと思うと言うと、やらないよりはやったほうがいいとみな賛成した。

小夜子のマンションに、十時過ぎにノートパソコンを持って葵はあらわれた。突然の来客に驚いたあかりは、午前中のあいだ泣いたりぐずったりし、ようやく泣きやんだかと思ったら、ダイニングテーブルでキーボードを操る葵に近づいては逃げ、小夜子を呼んでは作業を中断させていたが、昼ごはんを食べたあとは、葵のことをちらちらと気にしながらも、絵本や人形でおとなしく遊んでいる。

キッチンから出てきた葵に、小夜子は鉛筆書きしたチラシ案を渡す。床に散らばった、他社のチラシと見比べてあれこれ意見を言い合い、言いまわしやイラストの位置を変え、それを葵がパソコンに打ちこみはじめる。小夜子は壁の時計を見上げた。今ごろ修二は義母の家で寝ているだろうか。誕生日をボイコットした妻を、二人で非難しているかもしれない。関係ない、と小夜子は思う。そう思うと気持ちがすかっとした。

土曜日、わざわざ葵を家に招いてまでチラシを作る必要はなかった。今日の予定をとりはからってくれたのは葵だった。それならチラシを作っちゃおう、あかりちゃんを連れて事務所にくるのが大変だったら私がそっちにいってもいいけど、と言った葵に、小夜子は全面的に甘えたのだった。

明日のプレゼント、適当に買っておいてくれと修二が言い出したのは昨日の朝で、なんのプレゼントか小夜子にはまったくわからなかった。おふくろの誕生日、毎年やってるのになんで覚えないのと、小夜子に非があるかのように修二は続けた。たしかに毎年、言われるままプレゼントを用意して、義母の誕生日にもっとも近い土曜日に、井荻の家を訪れていた。そのことについて疑問も持たなかった。なぜ言われるままにしていたのか今では不思議だった。修二が千葉に住む小夜子の両親の誕生日を祝ったことなどただの一度もないし、ましてプレゼントを贈ったこともない。今までの義母の誕生日を小夜子は思い返した。修二はソファに寝ころんだままで、買いものも夕食の支度も片づけも義母はみな小夜子にやらせる。立ち働く小夜子にあかりがまとわりつくと、甘やかしすぎだ、躾《しつけ》がなってない、私は男の子二人をもっと厳しく育てたと、くどくどと嫌味だか説教だか自慢だかを聞かされる。去年プレゼントに用意したのは夏用のシルクスカーフで、しかし包みを解いた義母は、この暑いのにスカーフなんか売っているのねと、箱から出しもせずわきへよけた。ああいう人なんだ、感謝とか喜びとかを表現するのが苦手なだけなんだと、帰り道、むっつりと黙りこんだ小夜子に修二は言った。やさしい夫でよかったとそのとき思った自分が、今になるとじつに深い謎である。

そんな話を、日誌を書き連ねながら小夜子は葵にしたのだった。だったら明日仕事入れちゃおうか、ほら、ボスが言ってたチラシを作っちゃうとか。葵はそう言って、いたずらをする子どもみたいに笑ったのだった。

ゆうべ遅く帰ってきた修二に、明日はどうしても断れない仕事があると宣言したとき、小夜子は胸のすく思いだった。どうしても断れない掃除ってわけ？ と嫌みたらしく言った修二の言葉は無視した。あなたも勝手に誕生会の予定を入れたじゃない、それに明日は私の母じゃなくあなたの母親の誕生日だわと口にすると、なんだか笑い出したくなった。黙って腹にためこめば深刻味を帯びるが、口にすればどうしたって喜劇なのだと、いつか思ったことが思い浮かんだ。

和室で絵本を見ていたあかりがぐずり出す。昼ごはんを食べて眠くなったのだろう。小夜子は和室に移動して、あかりを抱き上げ背中をゆっくりとたたく。葵のたたくキーボードの音が、静まり返った部屋にちいさく響く。ガラス戸の向こうで空は高い。寝息をたてはじめたあかりを、畳に下ろし押入から出したタオルケットを掛けてやる。

「ね、これでどうかな。ボス、ちょっと見てみて」

寝入ったあかりを起こさないよう、葵が小声で呼ぶ。小夜子もそっと移動して、葵の背後に立ちパソコン画面をのぞきこんだ。各社のチラシを参考に、独自の売り文句を入れてデザインした「クリーニングサービス」のチラシを、葵はスクロールして小夜子に見せる。

「これは主婦向けに。それでね、次のが単身者向け」

「うん、いいと思う。楢橋さんってすごい。パソコンで絵まで描けるんだ」

「これは既製の画像を取り込んだだけ。これでいいかな。プリンタあるって言ってたよね？」

「今持ってくる」眠るあかりをまたぎ、和室の隅に置いてあるプリンタを小夜子は静かに運んだ。葵はノートパソコンとプリンタをつなぎ、電源を入れ、印刷ボタンを押す。がしゃがしゃと大きな音をたててプリンタが動きはじめ、小夜子と葵は思わず体をかたくしてあかりをふりかえった。起きる様子がないのを確認すると、顔を合わせてちいさく笑う。

一枚ずつプリントされたチラシを、小夜子と葵は並んで眺めた。話し合って書体や色を変えたり、宣伝文句を削ったりし、その都度印刷してみる。

「楢橋さん、ありがとう」

プリンタがジージーと音をたててチラシを吐き出すのを眺めながら、小夜子は言った。

「今日、ほんとになんだか助かっちゃった」

「助かったのはこっち。今日仕上がれば、月曜には印刷所に持っていけるもん。お昼までごちそうになっちゃったし。なんかあったらいつでも言ってよ、休日出勤大歓迎。雑用が山のようにあるんだから」

小夜子は台所にいき、冷蔵庫を開ける。麦茶を入れようかと思ったのだが、ビールのほうが葵は喜ぶかと思いなおし、修二の買い置きに手を伸ばした。

「やった、大人のおやつ」

グラスと缶ビールを運ぶと、葵は手をたたいた。ビールを注いだグラスに口をつけ、葵は大きく首を傾けて部屋を見渡している。

「それにしても、ボス、主婦なのねえ」

「何それ」小夜子は笑う。

「ベランダには洗濯物がひるがえってて、ビールグラスはお店みたいに冷やしてあって、あかりちゃんを抱っこして寝かせて。なんか、私と同い年の人とは思えない」

「そんな、だれだってできることばっかりじゃないの。私は楢橋さんみたいに、海外に電話してバスの手配もできないし、ツアーの企画もできない」

「だってさ、ボスは仕事だってしてるじゃん。外に出て働いてるのに、家がこんなにきちんとしてるなんて、女として本当に尊敬するよ。台所に汚れた皿もカップラーメンの空《から》容器もないんだもん」

「仕事っていったって、残業はないし、頭使わないもの。楢橋さんみたいにばりばり働いてるわけじゃない」

「やだ、私たち褒《ほ》めあってる。おばさんみたい」葵は小夜子の背中をたたいて笑う。

小夜子は自分もグラスにビールをついで飲んだ。冷えていて、おいしかった。

「楢橋さんは結婚しない主義なの？」ふと思いついて小夜子は訊いた。

「そんなわけでもないんだけど、彼氏いないからさ。じつはね、去年、旅先でふられたの」空いたグラスにビールを注ぎ、一口飲んで葵は続ける。「なんて言ってふられたと思う？　旅先でのきみのケチっぷりにはついていけない、ってさ。その男、あっちこっちでチップをばらまくの。そういうもんだってガイドブックか何かに書いてあったらしくて。屋台に毛の生えたような軽食屋でチップ、荷物も運ばないホテルの案内係にもチップ、どう見たって値段をふっかけてるタクシーの運転手にまでチップを払おうとするから、やめてくれって言ったのよ、何もオペラ座の裏チケットをコンシェルジュに取ってもらうような旅行じゃないんだもん。そうしたら、ケチ女ときやがった」

葵はげらげらと笑う。笑っていいのかどうかわからない小夜子は、小刻みにうなずいた。

「結局マニュアルなんだよなー。ねえ、ツアー旅行に参加したことある？　チップはどこそこでいくら払えとか、どういう店にはいくなとか、こと細かく注意事項の書かれたパンフレットって見たことない？　こないだね、東南アジアのあるツアーでね、屋台で食事をするな、氷の入った飲みものは飲むな、生野菜は食べるな、って、それはそれはこまかく書かれたパンフレットが配られたの。そのツアーで、自由行動のとき何人かが屋台にごはん食べにいって、全員おなか壊したのね。これって屋台が不潔だったからだと思う？　暗示にかかったんだと私は思うわけ。マニュアルがあるとさ、人って考えることを放棄すんの。考えないと何も見えない、何も心に残らない。チップなんて、渡したことすら忘れちゃうけど、心からありがとうって言えるようなできごとは忘れないと思うんだよね」

いきなりまくしたてるように葵はしゃべりはじめた。閉め切ったガラス戸の向こう、ベランダにひるがえる洗濯物を見つめて小夜子は葵の話に耳を澄ませた。

「旅行ってさ、to see と to do って二種類あるわけね、周遊して遺跡や博物館なんかを見るものと、お祭りなんかに参加するものと。だけど大前提に to meet ってのがないと話になんないよね。異国って、『ここ』とは違うじゃない、人はみんなわかりあえるとか、人間なんだから同じはずとか、そういうのは嘘っぱちで、みんな違う。みんな違うってことに気づかないと、出会えない。マニュアルってのは、あれしなさいとか、これが常識だって説明するだけで、違うって感覚的にわかることを邪魔するんだと思うんだ」

そこまで言って、葵はふと口をつぐみ、目玉をぱちくりさせて小夜子を見た。

「ごめん、つい熱くなっちゃった。すぐこうなっちゃうの。木原くんたちによくからかわれるんだ」

照れくさそうに言って、とうに印刷の終わったチラシに手を伸ばした。葵の話すことは、使ったことのない洗濯機の説明を聞かされているのにどこか似ていた。小夜子にわかるのは、自分たちはずいぶん違うということだけだった。見ているものも、欲しているることも、目指しているその先も、まるで違う。けれど葵の言葉を借りれば、違うからこそ今こうして話しているのだと小夜子は思うのだった。

葵のグラスが空になっていることに気づき、もう一本飲むかと訊こうとしたとき、玄関の鍵が開く音がした。驚いて廊下に出ていって見ると、ドアを開けた修二と目があった。

「どうしたの」思わず小夜子は言った。

「きみこそ、仕事じゃなかったの」修二も驚いている。

「仕事、ここでやってたのよ」

「ええ？　ここでって、何？」言いながらリビングに向かった修二は、リビングダイニングに続くドアを開けて「えっ」と間抜けな声を出している。小夜子はあわてて修二のあとからリビングに入った。

「こちら、お世話になっている楢橋さん。ちょっと散らかってるけど、こんなにすぐ帰ってくると思わなかったから」

「こちらこそお世話になってます。あのね、今チラシ作ってたんです。来月からいよいよスタートするんですけど、田村さんがボスなんですよ」

初対面の男に人見知りも物怖《ものお》じもせず、馴《な》れ馴れしい口調で言って葵はチラシを見せている。

「ああ、どうも」

修二のほうがしどろもどろに挨拶し、ドアに立つ小夜子を押しのけるようにして寝室に向かった。物音で目をさましたのか、か細い声であかりが泣きはじめる。

「ダンナさん帰ってきたし、私そろそろ失礼するね。ちょっと片づけちゃう」

葵は立ち上がり、何枚も印刷したチラシをまとめ、パソコンの電源を落とす。

「どうしてこんなに早く帰ってきたんだろ。いいのに、楢橋さん、ゆっくりしてって」

「だってもう、決定稿できたじゃない。月曜朝一に印刷まわすからね。ボス、ほらあかりちゃん、泣いてる」

だんだん声のトーンをあげるあかりを小夜子は抱き上げ、なおも葵を引き留めようとしたが、葵はさっさとノートパソコンを鞄にしまい、空き缶とグラスを台所に運んでいる。

小夜子はあかりを抱いたまま、マンションのエントランスまで葵についていった。

「ね、いつか本当に温泉いきたいね」

自動ドアを出たところで、思い出したように葵が言った。うん、そうだね。夢のなかで返事をするように小夜子はうなずく。

照りつける陽射しのなかを葵は走り出し、数メートル先でふりかえって大きく手をふった。まだ泣いているあかりの腕を握り、バイバイと手をふらせ、ありがとうと大きな声で叫んだ。エントランスを囲むように植えられた木々が、白く光るアスファルトに濃い影を落としている。影を縫うように葵の白いシャツは遠ざかっていく。太陽にちかか輝くそのシャツが見えなくなるまで、小夜子はその場に立っていた。

「まるでサークル活動だな」

部屋に戻ると、ソファに座って雑誌をめくっていた修二はまずそう言った。小夜子は何も言わず、泣きやむタイミングを逸して鼻をすすり上げているあかりを和室に下ろした。

「学園祭のポスター作りじゃあるまいし」

「ずいぶん早かったのね。おかあさん、元気だった？」

絵本を片づける小夜子の背に、あかりはぺったりとはりついてくる。

「ひとりでいったたって仕方ないだろ」

「井荻にいってないの？　じゃあどこにいってたの？」驚いて小夜子は訊いた。

「べつに。そのへん適当にぶらぶらして」

「おかあさん、待ってたんじゃないの？」

それには答えず、

「ビール、冷蔵庫になかったけど」雑誌に目を落としたまま修二は言った。

小夜子はため息をつき、まとわりつくあかりを抱き上げる。

「あーちゃん、ママとお買いものいこうか。ビールがないってパパ、怒ってるみたいだからさ」

「なんだよ、その言い方」

「夕ごはんのぶんもあるし、私買いものいってくる」

玄関に向かう小夜子に、おれもいこうか、と気のない声で修二が声をかける。聞こえなかったふりをして、小夜子はあかりに靴を履かせた。ママ、お出かけ？　あかりが何度も訊く。

ひょっとしたら駅に向かう葵に追いつくかもしれないと思いつつ、小夜子は自転車を漕いだ。街路樹が影を作る道の先に、けれど葵の姿はなく、親子連れやプール帰りの子どもたちが歩いているだけだった。

8

伊豆から伊東、熱海、小田原と、とくに理由もなく途中下車しながら、葵とナナコは横浜方面を目指した。どの町にももはや観光客の姿はなかった。夏の終わりのぽっかりした静けさが広がっている。素泊まりで三千円程度の安宿を泊まり歩き、そうしながら葵は、夏休みの直前に訪れたナナコの家を、幾度も思い出していた。

噂では、ナナコは二間しかない県営住宅に住んでいることになっていたが、実際は古い公団住宅だった。四階建ての四角い箱みたいな団地がちまちまと並んでいる。団地と団地のあいだには、遊ぶ子どももはやひとりもいないとすぐ理解できるような、荒れてすさんだ公園があった。スナック菓子の空き袋と空き缶がうち捨てられたちいさな砂場、木は腐り鎖は錆びているブランコ、あちこちに散乱する吸い殻とオロナミンCの茶色い空き瓶。

葵は、かつて想像したナナコの家を思い出しながらナナコのあとを歩いた。電話線をひっぱって受話器を耳に押し当て、ナナコの息づかいのその奥に、葵は広く清潔な家を思い描いていた。けれど目の前の団地は、どちらかというとクラスメイトの噂により近いようだ。

Eと側面に記された建物にナナコは入っていった。暗く狭い階段を、ナナコのうしろ姿を眺めながら葵はあがった。三階にナナコの家はあった。表札のない、塗装のはげた青いドアにナナコは鍵を差し入れる。ドアを開き、「どうぞ」葵を見ず、ぶっきらぼうにナナコは言った。

ナナコの住む家に足を踏み入れたときの印象を、葵はいつまでも忘れることができずにいる。

見たことのないような空間だった。散らかっていたわけでも、汚かったわけでもない、ただ何か、人が住んでいる場所に葵には思えなかった。入ってすぐにダイニングとキッチンがあり、その奥に四畳半の和室が二間ある。この団地じゅう同じ間取りなのだろうし、造りはどこにでもある家なのだが、しかしその空間は、家というより、駅の待合室やさっき見た無人の公園に、どちらかといえば似ていた。そのことに、葵は驚きというよりは、むしろうっすらとした恐怖を抱いた。

　人が生活している気配がなく、剝《む》き出しにされた公共施設のような家だった。台所のシンクにも流し台にも、カップラーメンや弁当の空容器や、ジュースやビール缶が山積みにされている。台所の隅には黒いゴミ袋が三つほど放置され、その周囲をちいさい蠅《はえ》が飛んでいた。ダイニングキッチンには、冷蔵庫以外、家具も電化製品もなかった。テーブルも、食器棚も、サイドボードも、電子レンジも、炊飯器も何もなく、低い天井には裸電球がぶら下がっている。ナナコはすたすたとダイニングを抜け、左側の和室に向かう。葵もあとに続いた。その和室もダイニングと同じくがらんとしている。前の建物が数メートル先まで迫っているせいで陽のさしこまない窓があり、その窓の下に文机があった。部屋のなかの家具らしい家具といえばそれだけで、カセットデッキや、女性週刊誌や、黒い電話機や、蓋のない箱に入った靴や、十四インチのテレビや、スポーツバッグなんかが、ささくれ日に焼けた畳の上に放置してある。

「何か飲む？」文机の上に黄色いバッグをおろし、相変わらず目を合わせないままナナコは言った。葵が何も答えずにいると、ナナコはキッチンへいき冷蔵庫のなかを物色しはじめる。その隙に、葵は隣の和室ものぞいた。タオルケットと枕がだらしなく畳に広がっていて、壁一面に色鮮やかな洋服が掛けてあった。スナック菓子が袋を開けたまま放置してあり、つぶした空き缶がいくつか落ちていた。

「みんなが言うより一間多いんだよ」缶ジュースを持ってきたナナコはそう言って、はじめて葵を見て笑った。続けて、ナナコにはめずらしい攻撃的な声で言う。「満足した？　噂の貧乏な家が見られて」

ナナコの家の違和感、奇妙さは、しかし貧乏ということとは違うように葵には思えた。ナナコはここでどんなふうに成長してきて、暮らしているのか、葵には深い謎に思えた。たとえば何を食べて、だれとどうやって会話して日々を過ごしてきたのか。食事も団らんも不釣り合いなこの部屋で。

かつてナナコに対して抱いた印象を葵は思い出す。この子はきれいなものばかりを見てきたんだろう、汚いことや醜いものを見ることなく、大事に守られて生きてきたのだろうと、そう思ったのだ。なんてことだ。まったく正反対じゃないか。この子はだれにも守られず、見る必要のないものまできっと見て、ここでひとりで成長してきたのだ。葵は言葉を失ったままそんなことを考えた。

「あたしいろいろ言われてるけど、全然平気なんだよ」

和室でジュースを飲みながら、ぽつりとナナコはつぶやいた。

「大事なものが学校にはないから？」

いつかのナナコのせりふを思い出し葵は訊いた。

「それもあるけど……今みんながあたしについて言っていることは、あたしの問題じゃなくあの人たちの抱えてる問題。あたしの持つべき荷物じゃない。人の抱えてる問題を肩代わりしていっしょに悩んでやれるほど、あたし寛大じゃないよ」

ナナコの言葉の意味を、葵は理解しなかった。こわいものなどないと言ったときと同じ、強がりなんだろうと理解した。それきり葵もナナコも黙り、ちびちびとするようにジュースを飲んだ。そのとき乱暴に鍵が開き、数人の女学生が入ってきた。葵が見たことのない制服で、みんな着物みたいにスカート丈が長く、扮装に思えるほど濃い化粧をしている。入ってきた女学生たちは、葵とナナコをまったく無視してがやがやと隣の和室に入り、数分後、全員派手な衣服に着替えてまたがやがやと出ていった。わけがわからず、葵は部屋に漂う香水のにおいを嗅ぎながら、彼女たちをぽかんと見送った。見ず知らずの他人に、更衣室を提供しているのかと思いかけたとき、「妹」ナナコがうつむいて笑いながら言った。「あ、全員じゃないよ、一番化粧が濃くて一番パーマきついブスいたでしょ、あれ妹」

窓の外にすぐ見える、ひびの入った壁が橙に染まるころ、葵はナナコの家を出た。最寄りのバス停までナナコは送ってくれた。バスを待つあいだ、葵とナナコはいつもどおり、ふざけ、笑い、あれこれと話した。ナナコの家になど立ち寄らなかったかのように。何も見なかったし、見られなかったように。以降、葵はナナコのプライベートを知ろうと思わなくなった。クラスメイトたちの噂が本当でも嘘でも、自分だけはナナコ本人だけを見ていようと決めたのだった。

ナナコの家と、目の前で笑うナナコが、葵にはなかなかうまく結びつけられなかったのだが、しかし伊豆を出てから数日行動をともにして、ナナコは紛《まぎ》れもなくあの廃墟《はいきょ》みたいな家で育ったんだろうと、葵は納得するようになった。たしかに自分はナナコのことなどこれっぽっちも知らなかったのだ。

家に帰ると言っていた八月二十四日が過ぎても、新学期がはじまっても、ナナコはまったく何も感じていないようだった。補導されるかもしれないとか、顔写真入りの捜索願いが出されていてだれかに通報されるかもしれないとか、そういうこともまったく考えていないようだった。むしろ日が過ぎるにつれ、ナナコは何か生き生きとしてくるように葵には思えた。

ラブホテルに泊まろうと言い出したのはナナコだった。旅館や民宿だとどんなに安くても二人で六、七千円はかかってしまう、ラブホテルの料金は部屋単位だから、夜のサービスタイムを利用すれば、六千円未満で泊まれるし、備品も充実してるはずだとナナコは言うのだった。葵はサービスタイムが何かも知らなかった。夜の十時頃から休憩とほぼ変わらない値段で宿泊でき、翌朝のチェックアウトが九時や十時のお得なプランみたいなものがあるのだと、ナナコは淡々と説明した。

大磯で下車し、駅からずいぶん歩いた国道一号線沿いに数軒のラブホテルを見つけ、けれどそのいかがわしい雰囲気に葵は躊躇し、今までしたことのない種類の緊張をしたのだが、ナナコは平然とした足取りで先に入っていく。手慣れた様子で自動販売機から部屋の鍵を取り出すナナコを、葵は異国の女を見るようにまじまじと眺めた。

伊豆のペンションを出てからまだ二週間もたっていないのに、生きていくだけでお金が飛ぶように出ていくことに葵は辟易《へきえき》していたから、ナナコの言うとおり、ラブホテルの低料金と備品はありがたかった。安宿はシャンプー・リンスも常備していなかったが、ラブホテルはシャンプーばかりか、洗顔石けんや化粧水、生理用品や綿棒、ポテトチップスやコーヒーまで置いてあるのだ。

ナナコの知識の豊富さや度胸のよさに感心したり感謝したりするよりも、しかし葵は伊豆急の駅で感じた空洞の存在を、ナナコに色濃く感じた。投げやりなような捨て鉢なようなナナコの大胆さは、うち捨てられたようなあの団地の一室にどことなく似ていた。ナナコの抱え持つ空洞に、葵は淡い空恐ろしさを覚えたが同時に引きつけられもした。その深く暗い穴ぼこは、ブラックホールみたいに強力で、恐怖も、不安も、不運も、躊躇も、退屈も、嫌悪も、この世のあらゆる負の気分を吸いこんで安心させてくれる、そんなふうに思えた。

「ナナコ」

茅ヶ崎のラブホテル「課外授業」の、ガラス張りの風呂場で、オキシドールで髪を脱色しているナナコに葵は呼びかける。

おととい、茅ヶ崎のスーパーで葵とナナコは補導員みたいなおばさんに声をかけられたのだ。ふたりでボストンバッグを抱えていると目立つだろうから、要らない着替えやバスタオル、水着や日焼け止め、よけいなものは駅のゴミ箱に捨て、できるだけ荷物を少なくし、見た目も年長に見えるよう、亮子にもらった化粧品で濃い化粧をし、ついさっき薬局でオキシドールを買ってきた。

「何ー」

体にバスタオルを巻きつけ、髪にシャワーをあてているナナコはくぐもった声で答える。

「あたし、ナナコと一緒だとなんでもできるような気がする」

脱衣所の壁により掛かり、葵は言った。シャワーの音がふとやみ、

「なんでもできるよ、あたしたち」

ひどく冷静な声が風呂場から返ってきた。

重たい布張りの扉を開けることに、もう躊躇も不安も感じなかった。ディスコはどこも同じだ。

横浜駅東口のはずれ、屋台に縁取られるようにして流れるちいさな川の近辺は、あん

まり治安がよくないから近寄るなと、中学生のころ父親に言われていたことを葵はぼんやり思い出す。ああ、ここのことを言っていたのかと、この近辺のディスコに通うようになってから気がついた。

ドアを開けると、暗闇と大音量と、ちかちか絶え間なく動く色とりどりのライトが葵とナナコを包みこむ。中央のダンスフロアは満員電車のように混んでいる。ダンスフロアには脇目もふらず、葵とナナコは隅のテーブル席を目指す。荷物の番をしながら、交代でバイキングコーナーにいく。バイキングのメニュウも、あまり代わり映えしない。脂っこいグラタン、乾燥したパスタ、べたついたフライドチキンに塩辛いポテト、今日は焼売《シューマイ》とピザ、それに焼きおにぎりがあった。それらをてんこ盛りに皿にのせ、テーブル席で向かい合って黙々と食べる。鏡張りの壁を葵はちらりと見やる。脱色に失敗して金髪のナナコと、失敗を生かしてちょうどよく脱色した茶髪の自分が映っている。どちらも見知らぬ女のようだ。フロアにはカジャグーグーが響き渡っている。

「こないだのとこよりはましだね」

「ああ、ラブクイーン？　あそこはオエーってくらいまずかったね」

「ソフトドリンクもらってこようか」

「もう少ししたら、きっとだれかがサワーかなんかおごってくれるんじゃない」

九月も三週目に入った。一週間前から、葵とナナコは平沼橋や新横浜や東神奈川といった、横浜近辺のラブホテルを泊まり歩いていた。昼間はアルバイトを捜し、昼食も食べず、夕方ごろ、レディースデイがあったりサービス券を持っているディスコに向かい、食べ放題の食事で腹を満たす。運がよければ、声をかけてきた大学生や若い社会人が酒をおごってくれたり、数日後待ち合わせをしてディスコ代をおごってくれたりした。

食事を続ける葵たちに、額に汗をかいたスーツ姿の男が声をかけてくる。

「ねえ、踊らないの、食ってばっかじゃブタになるんじゃない」

葵はちらりとナナコを見る。ナナコは目配せをし、葵はその意味を了解して、男を無視しフォークにパスタを巻きつける。

「気取んな、ブス」

男は言い捨てて去っていった。曲はアース・ウィンド&ファイヤーにかわり、フロアから歓声が起きる。

たとえば昨日ラーメンを食べさせてくれた二十歳のサラリーマンと、今声をかけてきたスーツ姿と、どこがどう違うのか葵にはわからない。けれどナナコにはその男が危ないか安全か、勘が働くらしい。それがどのくらいの確率で当たるのか葵は知りようがないが、けれど今のところナナコに従っていて危ない目にあったことはない。

横浜に降り立つのはほぼ一年半ぶりだったが、けれど葵はなんにも感じなかった。なつかしさも、嫌悪も。ずいぶんにぎやかな町だと、まるで知らないところにきたように思っただけだった。磯子にいってもきっと同じだろうと葵は思った。この町にいるあいだ、町も、空も、看板も、ビルも、自分の足元以外の何も見ていなかったのだから、何も感じるはずがない、と。

横浜にきたのは仕事を捜すためだった。ペンションを出てきたとき、亮子からもらった給料、葵が母親から受け取った予備のお金、二人の所持金を全部合わせて、四十五万円あった。ラブホテルに泊まり、洗濯は手でし、近場の移動なら歩き、朝昼の食事や間食も抜いているのに、なぜかお金はどんどん出ていって、伊豆を出てまだ一カ月もたっていないのにもう二十万円ほどしか残っていない。英語用だったノートに、ずいぶん前から葵は一日の記録をつけており、何に無駄遣いしているのかと点検しても、しかし必要なものしか買っていない。横浜に着いてから長袖の服を一着ずつ買ったのが一番の贅《ぜい》沢《たく》だった。

それで仕事捜しに本腰を入れはじめた。反町《たんまち》のラブホテルで名前以外はでたらめの履歴書を書き、ポルタやジョイナス、モアーズやルミネの、フロアの隅にある求人広告を眺め片っ端から応募してみたが、すべて断られている。ときどきは一日別行動で仕事捜しや面接にいった。やはり履歴書の嘘くささを見破られるのか、あるいはナナコの金髪や葵の茶髪が災いするのか、どこにも採用されずに日が過ぎている。今のところ、ディスコが一番稼ぎのいい場所だった。食べ放題の食事と、だれかがおごってくれる飲みものや夜食程度しか、稼ぐことはできなかったが。

その日、何人か声をかけてきたがナナコはみな無視した。十時を過ぎたのをたしかめて、葵とナナコは連れだってディスコを出た。ちょうどバラードが流れていて、体を密着させて踊るカップルたちを、ピンク色のスポットライトがなめるように照らしているところだった。

川沿いに並ぶ屋台が裸電球を灯《とも》し、それが反射して川面はちらちら光っている。高速道路をひっきりなしに車が行き交い、ビルの明かりが星みたいにまたたいて夜空はずいぶん明るい。酔っぱらった中年たちが肩を組み、メロディのめちゃくちゃな歌をうたっている。カップルはぺったりとくっついて恍惚《こうこつ》とした表情で歩いている。ドアを開け放った喫茶店から、マドンナの曲が聞こえてくる。窓を全開にした車体のやけに低い車が、テクノ音楽を大音量で流しながらのろのろ通りすぎていく。ナナコとここへきて、葵ははじめて夜の横浜を見た。きらびやかで、にぎやかで、陽気で、暗い影など微塵《みじん》もないように葵には感じられた。それともそれは、横浜の町の持つ魅力ではなくて、ナナコが一緒にいるからだろうか。

華やかでさわがしい夜の町を見ていると、葵は母親のことを思い出した。母が、心底気の毒な女に思えた。この町で華やかに暮らしていたと妄想し、すべてのものを今も見下している母親が。きっとあたしのことを怒っているだろう、と葵は思う。いじめられたのはあんたが悪いのだと、そんな意味のことを母は言っていた。自業自得でいじめられたくせに家族を田舎にひっこめさせて、あげく自分はそこからのうのうと逃げ出していった――母はそう思っているに違いない。許してくれないに違いない。かわいそうな女。あの町でずっと文句を言いながら、まわりのものを一生懸命見下しながら、職を転々として生きていくのだろう。

「ペンギンズバー、またいきたかったな。今日はそんな太っ腹はいなかったね」

「アオちん、ペンギンズバーなんか好きなの？」

「好きっていうか……こないだ連れてってもらったときは楽しかったからさ」

「ま、こういうしょぼい日もあるさ。ね、コインロッカーの鍵ってアオちん持ってる？」

「うん、持ってる。今日はどこ泊まろっか。こないだのさ、三ツ沢のほうのとこいく？あそこ、けっこうよかったじゃん」

「ああ、『ブルームーン』？　そうしよっか。ラブホも連泊できたらいいのにね」

二人ぶんの荷物の入ったボストンバッグをコインロッカーから取り出し、ナナコと葵は西口へ向かって歩く。同い年くらいの女の子たちが、すれ違いざま値踏みするような視線を葵たちに投げる。ナナコはそんな視線などいっこうに気にせず、ライクアバージン、フウッ、と、さっき喫茶店から聞こえてきた曲を思い出したように歌い出す。

ラブホテルのダブルベッドにうつぶせに横たわり、葵はノートを広げる。昨日の残高から今日の支出を引くと、二十万をもう切ってしまった。

「あーやばい。まじでお金なくなる」

ソファに腰かけテレビの歌番組を見ていたナナコはふりかえり、「今いくら？」と訊く。

「十九万二千八百七十五円」葵は言った。

「あるじゃん、全然」ナナコは言い、テレビのなかで歌う松田聖子に合わせてハミングする。

「それがね、あたしたちが一日で使うお金は、平均すると約一万円なの。ってことはだよ？　こうしていられるのはあと十九日。もしどうしてもお金必要になったりしたら、もっと短くなる。一カ月もしないうちに身動きとれなくなるよ」

ベッドの上に起きあがり、葵は言った。ナナコはハミングをやめ、ふりかえる。ベッドの上に座る葵と目を合わせ、じっと何か考えていたが、

「あたし明日お金作ってくるよ」

無表情で言った。葵はナナコが何を言っているのかまるでわからなかった。

「は？　どうやって？」数秒後、ようやく葵は言った。

「だから、一番かんたんな方法でお金を稼ぐって言ってるの。あのね、言わなかったけどあたし知ってるの。ひとりでバイト捜しにいったとき、男の人が女の子に声かけるようなところ、見つけたの。あたしも声かけられたし。あたし、そういうの全然平気だから、もし本当にお金が」

「だってナナコ処女でしょ」ナナコを遮って葵は言い、言ってから、なんて馬鹿みたいなことを言っているのだろうと、自分にあきれかえる。

「ねえ、前も言ったけど、あたし、大切じゃないものって本当にどうでもいいの。本当に大切なものは一個か二個で、あとはどうでもよくって、こわくもないし、つらくもないの」

ナナコは葵の目を見据えて、ひどく静かな声でそう言った。やめてよそんな馬鹿みたいなこと、と言おうとして、けれど葵は何も言えずにナナコを見つめかえす。本気なんだろうと葵は思った。この女の子は本当に、躊躇も不安もなく、街角に立って声をかけてきた見知らぬ男についていくのだろう。それでなんにも傷つかないのだろう。何もかもその深い空洞に吸いこまれてしまうのだから。

あのとき帰りたくないとナナコはどうして言ったんだろうと、目を合わせたまま葵は考える。いじめられることがつらいんだと思っていた。あの、うち捨てられたような家が嫌いなんだろうと思っていた。未来のなさが、選択のなさが息苦しいんだろうと思っていた。けれど、そんなことはこの女の子にとってすべてどうでもいいことだったんじゃないかと、今思う。だとしたらいったいなぜ、帰りたくないと泣いたのか。帰りたくないその理由はなんだったのか。

すっと背中が冷たくなった。断崖絶壁に立って足元を見下ろしているような気がした。自分がラブホテルにいることの現実感が、急激に失われていく。

「そんなこと、心配しなくていいよ、ナナコ」発する自分の声が、葵にはずいぶん遠く感じられた。ナナコは瞬《まばた》きもせず葵を見ている。「あたしに、もっといい考えがある」ゆっくりと発音する。「あたしの昔のクラスメイトたちを襲おう。お金を巻き上げよう。持ち金が少なかったら持ってこさせよう。あたし、やつらの家も知ってるし」いくら話しても自分の声は遠く、現実味は失われたままだった。けれど、だからこそ、さっき感じた恐怖が薄れていくのを葵は感じていた。「脅すためにナイフ買って、ひとりのところをねらえば、びっくりしてすぐ出すでしょ。ちょうどナナコは金髪だし、絶対びびるから」もうなんにもこわくない。相変わらず表情のないナナコの顔。その顔に広がる、ぱっくりと口を開いた穴ぼこ。ナナコと見つめ合う自分も今同じ顔をしているんだろうと葵は思った。鏡を見るように葵はナナコを見つめ続ける。テレビから流れるチェッカーズの甘ったるい声が、ひどく遠くで響いている。

かつて住んでいた四階建てのマンション、ドミール磯子の屋上から、ナナコと葵は町を見下ろしている。太陽はビルの陰に隠れはじめ、眼下に広がる町は橙色に染まりはじめている。そこここから灰色のビルが、空を突き刺すナイフのように飛び出している。銭湯があるのか、ビルのなか、すすけた細長い煙突がのび、白い煙を橙の空に吐き出している。ついこのあいだまで熱を含んでいた風は、もう冷たい。長袖シャツ一枚では寒いくらいだ。

「ドミールってどんな意味だろ」ナナコはぽつりと言った。

「さあ」こんなときになんでそんなことを訊くのか、軽い苛立ちを覚えながら葵は答える。「アミーゴなら知ってるけどね」しかしこんなときに、自分もやっぱりくだらないことを言っている。

「ドミールとアミーゴ、ぜんぜんちがうじゃん」ナナコは言って乾いた笑い声をあげた。

つい数時間前、葵は生まれてはじめて他人から金を巻き上げた。相手はだれでもよかった。数日前たまたま入った西口のマクドナルドで、アルバイトをしている高橋玖美子を見つけたのだ。

高橋玖美子は小学校から一緒だった。五、六年のとき同じクラスで、高橋玖美子は葵のことをくさいと言った。給食をひっくり返した。黒板消しで頭をたたいた。男子と一緒になってスカートをめくり、狂ったように笑った。中学二年でも同じクラスだった。

中学生の高橋玖美子は、もはや子どもじみた行動はしなかったけれど、徹底的に葵と口をきかなかった。存在を認めないというように、目を合わせることもなかった。けれど高橋玖美子が特別意地悪だったわけではなくて、そのほかのクラスメイトたちも似たようなものだったから、彼女にだけ消えない恨みがあるわけではなかった。もしマクドナルドでアルバイトをしているのが原ちとせだったら彼女を、松川英美だったら彼女を、きっとねらうことになったのだろう。

三越で折りたたみ式のナイフを買い、マクドナルドの裏口で待ち伏せて、高橋玖美子が店を出てくるのを待った。途中、高橋玖美子はユニフォーム姿のままゴミを捨てに出てきた。葵とナナコはビルの陰に隠れてそれを見ていた。

午後四時を少し過ぎて、高橋玖美子はほかのアルバイトと一緒に店を出てきた。ナナコと葵は気づかれないようにあとをつけ、彼女がひとりになるのを待った。西口のバス乗り場でほかのアルバイトが手をふって去り、高橋玖美子は地下へと続く階段を降りる。葵はナナコに目配せを送り、彼女が階段を降りきったところで両側から腕をとり、階段裏のスペースに連れこんだ。お金貸してよ、とナナコが言った。ジーンズのポケットに葵が隠し持っていたナイフを出すまでもなく、高橋玖美子はすんなりとハンドバッグから財布を取り出した。高橋玖美子の手が震えているのを、葵はじっと見ていた。差し出されたのは七千円だった。もっと欲しいんだけど、とナナコが言った。高橋玖美子はおびえたような顔でナナコの胸元あたりを見、ごめんなさい、もうないんですとちいさな声で言った。高橋玖美子は中学生のころより少し太っていた。耳にピアスを開けていた。頬と顎にニキビができていた。ナナコが七千円をポケットにしまいこんで押さえつけていた腕を放すと、高橋玖美子はよたよたと地下街へ逃げていった。

離れていく瞬間、高橋玖美子は葵を見た。けれど目の前にいるのがかつてのクラスメイトだと、気づいた様子はまったくなかった。人混みに紛れていく高橋玖美子のうしろ姿を、葵はぼんやり見送った。何もかもに現実感がなかった。だからちっともこわくなかったし、緊張もしなかった。ずっと耳鳴りが続いていて、それがうるさいとだけ、思っていた。

七千円を手にしても、晴れやかな気分にはなぜかなれなかった。何か胃のあたりが鈍く痛んだ。消化の悪い苦いものを無理矢理飲みこんだような気が葵はしていた。隣を歩くナナコも、やっぱり喜んでいるようには見えなかった。いくあてもなく地下街を歩き、駅が近づいてきたとき、アオちんの昔住んでいた家が見たいと、ぼんやりした声でナナコが言った。

「高橋さん、全然あたしのこと覚えてなかったな」

ドミール磯子マンションの屋上で、両手で柵《さく》を握り葵は言った。

「茶髪だし、化粧してるから」

ナナコは言う。

尻の下でコンクリートが冷たかった。目の前を、ピンク色に染まった雲が流れていく。ちかちかと瞬くように遠くでネオンがともる。白地に赤い文字で「酒は大関」と書いてあった。

かつて葵が住んでいた305号室には、もう他人が住んでいた。横浜駅で思ったのと同様、磯子に降り立っても、毎日行き来していた商店街を歩いても、幼稚園のときからずっと住んでいたマンションについても、なんの感情もわきあがってこなかった。なつかしくもなく、嫌悪もなく、やっぱりそこも、見ず知らずの町、見ず知らずのマンションに見えた。

「キャラメル食べる?」

ナナコは言い、ジーンズのポケットからキャラメルの箱を取り出す。押しこんでいた七千円がぽとりと落ち、折りたたんだ紙幣はゆるやかな風に数メートル飛ばされる。葵は立ち上がってそれを拾い上げ、瞬間、今まで感じたことのない深い自己嫌悪を覚えた。けれどそれをナナコには悟られないよう、紙幣をポケットにねじこんで、さっき座っていた場所にぺたりと尻をつけた。

「ねえ、ずっと訊こうと思ってたんだけど」

「うん、何?」

「魚の子って書いてなんでナナコなの」

キャラメルを口のなかに放りこみ、ゆっくりと橙から紺へと変わっていく空の色を見つめて葵は訊いた。

「ああ、あのね、布の名前。あたしたちの町、織物とか布とか有名でしょ？　魚子って種類の、高価な布があるんだって。おばあちゃんがつけた名前なんだ」

「おばあちゃん、いるんだ」

「今はいないけど。あたしが小学生のときに死んでる」ナナコは言って、包装紙をていねいにむき、キャラメルを口に入れる。「あの家でさ、五人で住んでたんだよ。おばあちゃんね、癌《がん》になって入院したんだけど、そんときさあ、だれもかなしがらなかったんだよね。部屋割りとかてきぱきうれしそうに決めたりして。右の和室が妹の部屋で、左の部屋があたしとおかあさん、それで台所んとこが父親の部屋とかさ、馬鹿みたいに。おばあちゃんのタンスとか、作ってた梅酒とかぬかみそとか、ばんばん捨てちゃって」

斜め前に建っているマンションの、廊下の明かりがいっせいにつく。どこからかクラクションが聞こえてくる。キャラメルは葵の口のなかでどんどんちいさくなっていく。

「でもあたしも人のこと言えない。おばあちゃんどんどん痩せてって、それ見るのこわくて、全然病院いかなかったし。死んだって聞いたとき、どっかほっとしたりして。そのとき、ああ、あたしってものすごい冷酷な人間なんだなあって思った。冷酷で、残酷で、人の情みたいなの、全然ないんだなあって」キャラメルを嚙みながら話していたナナコは急に言葉を切り、隣に座る葵をじっと見つめた。

「ねえ、アオちん。アオちんは本当は帰りたい？　もう疲れたんじゃない？　帰りたいんじゃない？」

葵はナナコを見つめ返す。もうずいぶん暗くなっていることにはじめて気づいた。薄暗闇のなか、ナナコの顔がぼんやりと浮かんでいる。

「帰りたくはない」葵は答えた。

伊豆を出たときは、どこか遠くにすばらしい未来が待ち受けているような気がしていた。何もかもうまく運んで、ナナコといっしょにそこにたどり着けるのだろうと思っていた。いや、今でも思っている。仕事さえ見つかれば、何もかもうまくまわりはじめるのだと。すばらしい未来にたどり着けるのだと。けれど、横浜にきてから、そんなものはどこにもないのではないかと不安になることがある。母の贅沢暮らしの記憶、そんなものがどこにも存在しないように、何もかも思い通りになるすばらしい未来も、ナナコと自分の居場所も、どこにも在り得ないのではないか。

「帰りたくはないけど、なんか疲れた」

葵は付け足した。疲れたと口にしたら、さらに疲れが増したように思えた。奪った七千円で何か食べにいくこと。今日もまたラブホテルを捜すこと。ベッドの上で家計簿をつけること。金策を考えること。すばらしい未来を追いかけること。考えると気が遠くなった。今ここで立ち上がるのも億劫なくらい疲れていた。

田畑にまっすぐ延びる道、スカートの裾をはためかせながら、クラスメイトたちが手をふって追い越していく光景が、ふと思い出された。それはずっと昔、果てしなく遠い過去に見たもののように葵には感じられた。

「あたしも疲れた」

ナナコはひっそりと言った。

葵は黙って目の前に広がる景色に視線を移す。もうすっかり夜だった。紺色の町のなかに、ぽつぽつと大小の明かりが灯っている。目の前の夜景に、きらびやかだと思った横浜の町を重ねてみる。広がる闇とまたたくネオン。今も、昨日も、華やかな町ではなくて、大きすぎて端のわからない落とし穴をのぞきこんでいるように葵には思えてくる。

「あのさあアオちん」

ひどく間延びした、眠いのをこらえているような声が聞こえてくる。

「うん」

自分の声も、やっぱりそんなふうなんだろうと思いながら葵はうなずく。

「ずっと移動してるのに、どこにもいけないような気がするね」

葵が思っていて言葉にできなかったまさにそのことをナナコは言った。

「うん」葵はうなずき、言った。「もっとずっと遠くにいきたいね」

「ずっと遠くにいきたい」

無表情な声でナナコは葵の言葉をくりかえす。

「ここから、手つないでいっせいのせで飛んでみようか」

ナナコは両手でつかんだ柵に顔を近づけて、言った。それが何を意味するのか理解するより先に、そうすれば本当にどこかへいくことが可能であるように葵には思えた。疲れることのない場所。ラブホテルを捜さなくてもいい、金策に悩まなくてもいい、何もかもがうまくいくような場所。ナナコといっしょならなんだってできると、幼い子どものような無邪気さで今も葵は信じていた。

酒、は、大、関。一文字ずつ明かりの灯っていく巨大なネオンを、葵は、文字の意味がわからなくなるくらいじっと見据える。ずっと続いていた耳鳴りがぴたりとやんだことに、しばらくしてから葵は気づいた。

9

あーちゃん、いい加減にしてよー！　自分の怒鳴る声が耳に届く。以前だったら、こわい顔をしてみせるだけで泣き出したあかりは、大きな声を出してもけろりとしている。それればかりか、「だってだって、だってあーちゃん遊びたいんだもの！」と、負けじと声をはりあげる。

「ごはんがつくれないでしょっ！」

「ごはんなんかいらないもんっ」

立派に会話が成り立っていることに心の隅で感心するが、しかし鍋が噴きだしたとたん、成立した会話が苛立たしくなり、

「もうママ知らないよっ」言い捨ててキッチンに走る。あわてて鍋の火を止め、半分まででしか作っていないミートボールに再度取りかかる。あかりはキャキャッと笑い声を響かせて台所まで追いかけてきて、抱っこ、抱っこと小夜子の足にまとわりつく。

「あーちゃん、ミートボール食べたいってあーちゃんが言ったんだよ」

「言ってないもん！」

「すぐ終わるから、ちょっとあっちでテレビ見てて！」

「イヤヨー」

あかりが流しに手を伸ばす。届きそうな位置にある、包丁ののったまな板を小夜子は素早くずらした。わきに置いてあるミンチ入りのボウルをまな板が押し出す格好になり、ボウルは床に転がり落ちる。キャアー、あかりは甲高い声で叫ぶ。リノリウムの床に飛び散ったミートボールのタネを見おろすと、食事の支度も後かたづけも、何もかもがいやになった。

「もうっ、あかり、ママ本当に怒るからねっ」

あかりの腕を握り、キッチンから引きずるように出したところへ修二が帰ってきた。

「おまえ、やりすぎなんじゃないの」

手にしていた鞄と雑誌をテーブルに投げ出し、修二は呆《あき》れたような声を出す。

「違うわよ、キッチンでいろんなものに手を伸ばして危ないから、しょうがないの」

うわーん、と天井を向いてあかりは泣き出し、修二に向かって両手を差しだしている。抱っこして泣きやませてくれればいいものを、こわいママだねえ、などと言いながら修二はネクタイをゆるめテレビのスイッチをつけている。

小夜子はしゃがみこんで、飛び散ったタネを掻き集めた。とりあえず丸めたミートボールはあかりと修二に食べさせて、仕方ない、自分は味噌汁と漬物でごはんにしようとめまぐるしく小夜子は考えため息をつく。

「今日だって、私帰ってきたの七時近くよ、ミートボールが食べたい、ミートボールじゃなきゃ嫌だってあかりは言うし、スーパーでは合い挽きが売り切れで、それで駅向こうの商店街までいって、ごはんの支度はじめたら井荻のおかあさんから電話。一時間近く、二人目は生まないのかどうなのか、仕事なんかやめてそういうことちゃんと考えろってお説教されて、さっきようやく支度はじめたの、なのにあかりったらごはんのしたくもさせてくれないんだもん」私だっておなかが減って倒れそうなのだ、昼ごはんを食べそびれたまま掃除して、駅まで走って混んだ電車に乗って、自転車飛ばして保育園にいって、気がついたら朝からなんにも食べてないのだ……胸のなかでつけ足しながら、リビングがあまりに静かなので小夜子は顔を上げた。テレビはついているが修二はおらず、あかりはけろりと泣きやんでミッキーマウスのコマーシャルに見入っている。

「ごはん、あと十五分くらいね」寝室に戻ったのだろう修二に向かって叫ぶと、

「ああ、おれ今日食ってきちゃった」Tシャツに着替えて出てきた修二は、小夜子をよけるようにしてキッチンに入る。

「もう、食べてくるなら電話ちょうだいよ！　なんのための携帯なの？」

ビールを取り出す修二に、思わずヒステリックに小夜子は叫んだ。ちらりと小夜子を見、何も言わずに修二はキッチンを出、ソファに座って夕刊を広げている。

「あなた、することないならあかりをお風呂に入れちゃってくれる」

トマトソースを煮込んだ鍋にまるめたミートボールを落としながら、小夜子はできるだけ穏やかな声で言った。おお、こわこわ、あかり、お風呂入ろうか。修二は立ち上がり、あかりを抱き上げてリビングを出ていく。立ち上がるとき、かすかだがしっかり聞こえた修二の舌打ちが、粘着性の強いシール跡みたいに小夜子の耳に残る。

「なあ、無理ならやめたっていいんだぞ」

あかりを寝かしつけ、寝室に戻った小夜子に修二は言った。ドレッサーに座り、鏡のなかの修二を見る。ベッドに横たわった修二は雑誌をめくっていた。

「何が無理で、何をやめるの？」

「お掃除おばさんだよ」修二は即答する。「なんか、最近家のなかの感じがよくないような気がしてさ。おまえ、なんだかいつもぎすぎすしてるし、あかりのことも、しつけを超えてるんじゃないかと思うときあるんだ。働くのは悪いことじゃないけど、無理をして働くことはないんじゃないかな」

「無理なんか」

「こないだの女が社長だろ？　休みの日に家まで押しかけてきて、こっちの都合を考えないというか、ごり押しタイプなんじゃないの？　おまえには合わないんじゃないかなあ、そういうの」

「あの日は」言いかけて、しかし小夜子は口を閉ざす。義母の家にいきたくないから葵にきてもらったのだと言うことができなかった。

「ほら、三歳になるまで、どれだけ母親と一緒にいられたかで、その後の性格形成がだいぶ違ってくるんだろ？　あかりは三歳になったばっかりだし、今までずっと家にいたんだから、急に外の世界に放り出すのも酷かもしれないぜ。働くのはあかりがもう少し大きくなってからでもいいんじゃないの。人んち掃除するのもいいけど、それでうちのことがおざなりになるんだったら意味ないんじゃないかなあ」

反論しようと小夜子は口を開きかけ、しかし言いたいことは気が遠くなりそうなほどあり、どこから言っていいのかわからず、

「お義母さんとおんなじことを言うのね」

小夜子はぽつりと言った。

「おふくろは自分が家にいたから、それが一番正しいって思ってるんだよ」

「ねえ、あかりが変わったこと、わかってる？　ちゃんと見てる？　最近はお友だちができて、おしゃべりもずいぶんできるようになったと思わない？」

あかりだけじゃない、私だってそうだ、どうしてそれがわからないのかと小夜子はもどかしく思う。

「働くのが悪いって言ってるんじゃないんだよ。おれ、ずっと言ってたじゃん、働いたらどうかって、それこそあかりが生まれる前から。きみはそれでもずっと家にいたわけでしょ、それでいきなり外に出てって、おれもあかりも、それからきみ自身も、なんかがちゃがちゃになってる、って話。それにさ、今やってるのって、前の会社のときみたいに、決定権があったり企画を出さなきゃいけなかったり、なんていうか、おまえがいないことで支障が出るような仕事じゃないんだろ？　いったん休んで、もっとゆっくり仕事捜して、それで前みたいに意味のある仕事を見つけたらどうかってさ」

クリームを塗りかけていた小夜子は手を止め、ふりかえって修二を見た。

「意味？」

声が震えないように気をつけると、かすれたささやき声が出た。聞こえなかったのか、修二は雑誌をばさりと床に落とし、

「ちょっと考えてみてほしいんだ」

そう言うと目を閉じた。

鼻先にのせたクリームをすばやく顔に塗りこんで、小夜子はしばらく鏡に映る自分を見ていたが、修二が落とした雑誌を拾い寝室を出た。雑誌をマガジンラックに戻そうとして、しかし小夜子はそれをテーブルに置いたままキッチンに向かう。コップに麦茶を注ぎ、キッチンの明かりが漏れる暗いダイニングテーブルについた。雑誌を引き寄せ、見るつもりもなく一ページずつめくっていく。あらわれる文字や写真が次第にゆがむ。右目からほとりと水滴が落ち、小夜子はあわてて目をこする。泣くなんて馬鹿らしい。泣くほどのことでもない。胸の内でくりかえす。

修二がなんの裏づけもなしに口にした三歳児神話が、現代の状況ではあてはまらないことや、そもそも科学的根拠がないことを、修二に説明したはずだった。中途半端な時期に入園が決まった運の良さも、通うことになった保育園の方針や雰囲気も、くりかえし話してきた。すべて他人ごとみたいな反応しか返ってこなかったが、働きたいと言い出したのは自分なのだから、仕方ないと納得していた。

暗いダイニングで、読む気もない雑誌を小夜子はめくり続ける。

働くことが決まってからは、それで何か不都合が生じないようにいくつもの決めごとをした。どんなに忙しくても家のなかのことはきちんとしよう。食卓に出来合いの総菜を並べるのはやめよう。流しに汚れた皿をためておくことも、アイロンの必要な衣類を全部クリーニング屋に持っていくことも避けよう。小夜子は自分に課したそれらのことを守っているつもりだった。けれどそうすることにいったいなんの意味があるのか。家のなかは整頓され、手作りの料理が並び、引き出しにはアイロン済みの衣類が入っているその状態が、修二にとっては当然の、ゼロ地点なのだ。何かひとつでもおかしなことがあればそれはただちにマイナスになる。どれだけせわしなく動いたって、どれほど家族を気遣ったって、それは足し算ではなくかけ算で、何をゼロにかけたってプラスになることは決してないのだ。

めくっていた雑誌の、あるページで小夜子は指を止めた。キッチンから漏れる明かりにかざして顔を近づける。見覚えのある写真がそこにあった。楽園で新しい年の訪れを——大きな文字がそう告げるそのページは見開きの広告で、右ページの隅に、ガーデンホテルの概要が書かれ、一番下に、問い合わせ（株）プラチナ・プラネット、とある。青というよりは碧《みどり》の、水中の珊瑚《さんご》や魚を写す海の写真は、事務所で見たものだと小夜子は気づく。小夜子は暗いダイニングで、そうしていれば写真の向こう側にいけるかのように、じっとまぶしい海に目を凝らした。

八月の後半に、中里典子の研修は完全に終わった。顧客に対する態度について、小夜子は最後まで小言を言われていたから、中里典子と離れるのは不安だったが、ほっとする気持ちもあった。最終日、小夜子は中里典子に連れられてホームセンターにいった。

バケツや木製ヘラ、割り箸や錐《きり》など、必要な掃除道具について説明を受け、それらを一通り買った。洗剤や掃除機は中里典子から卸《おろ》してもらうことになっている。あとは、プラチナ・プラネットに依頼がくるのを待つばかりである。三件、つきあいで頼んできたような依頼があった。都内のマンションに住む老夫婦宅の風呂場とトイレ、ほぼ物置と化している書斎の掃除。ワンルームほどの個人事務所。プラチナ・プラネットから徒歩五分の場所にある、飲食店のトイレと洗面所。大規模な掃除ではなかったから、すべて小夜子ひとりでいった。つきあいだからだろう、とくべつクレームもなかったがきれいになったと感心もしてくれなかった。

八月中から、葵とほかのスタッフは、インターネットやダイレクトメールで営業活動をしていたらしいが、その三件が終わってしまうと、依頼はさっぱりこなくなった。それまで掃除研修にあてていた週の三日、小夜子は独自にチラシを配って歩いている。就業証明書や保育園の時間のことで、便宜を図ってもらったことを思い出し、勤務日ではない日も、保育園にあかりをむかえにいきがてら、目についたマンションやアパートにチラシを投げ入れた。

今日は世田谷区を中心にまわった。ポケット地図を片手に住宅街をうろつき、マンションやアパートを見つけるたびエントランスに向かい、集合ポストにチラシを投函する。九月上旬の町はまだ暑く、数時間歩いていると頭がぼうっとしてくる。アパートと一軒家が隙間なくひしめく路地の先が、強烈な陽射しの下でゆらゆらと揺れて見える。

これからどうなるんだろう。熱気に揺らめく光景のように小夜子は思う。顧客が増えるようにこうしてチラシ配りをしているが、自分にできることは限られている。修二が掃除という仕事を全面的に応援し、協力してくれるとは考えにくい。期待通り忙しくなれば関根美佐緒や長谷川マオの出番になるのだろうし、それでも足りなくなれば葵はまた人員を募集するだろうが、そうなったとき、自分には今以上に力を入れることが可能なのだろうか。路地を曲がる。まるで三面鏡のように、似た造りの家がどこまでも続いて揺れている。

へとへとに疲れて事務所に戻ると、プラチナ・プラネットの全員と木原が、ダイニングテーブルを囲んでいた。何か重要な会議といった雰囲気で、いつものようにふざけ合う声も、笑い声も漏れてこない。

入ってきた小夜子にはだれも一瞥《いちべつ》もくれず、何かを読み上げているらしい山口さんをじっと凝視している。小夜子は物音をたてないようダイニングを横切り、長谷川マオの机に座って荷物を下ろした。昼に買って、とうにぬるくなっているペットボトルのウーロン茶を喉に流しこむ。

「以前言っていた観光振興の話はどうなったんですか」

「あれは白紙に戻ってます」

「だってあれね、十年、二十年とかかるような仕事なんだよ？　見ず知らずのところと、モチベーションなしにそんなに長くつきあえるはずがないよ」

「モチベーションとかこの期《ご》に及んで言うわけですか」

「ちょっと、この期って何よ」

ダイニングから聞こえてくる会話を聞き流しながら日誌を書いていた小夜子は、向かいの机に置いてあるものにふと目をとめた。折り畳んだ布地に手を伸ばし、広げてみる。それは黒いエプロンだった。胸当ての部分に「プラチナクリーニングサービス」とローマ字で白く染め抜かれており、ロゴマークである土星みたいな星の絵がある。

どうしてもうユニフォームができあがってるんだろう。陽射しの下を歩いていたときと同じぼんやりした頭で小夜子は思った。おまえがいないことで支障が出るような仕事じゃないんだろ——修二の声が耳元で聞こえたような気がして小夜子は顔を上げる。

「ボス、それどう思う？　ユニフォームの見本できたの」

小夜子の心の奥を読んだように葵の声が飛んできて、小夜子はダイニングに顔を向けた。全員の視線が注がれている。

「なかなかおしゃれでしょ？」得意げな笑顔で葵は言う。

「これはこれでかわいいけど、エプロンじゃないほうがいいと思うな」

小夜子は思ったままを言った。

「え、なんで？」葵はふいに真顔になって訊いてくる。

「掃除のとき、はいつくばるような格好が多いんで、エプロンだと裾が意外に邪魔になるのね。だからTシャツとか、あるいはもっと裾の短いエプロンのほうが動きやすいの。それに黒って、思いの外汚れ目立っちゃうし。埃や油は、白くなったりてかっちゃったりして」

説明するうち、疲れが徐々に和らいでいくのを小夜子は感じた。意見を求められることはうれしかった。

「ええ、そうなの？　やだ、これも作る前にボスに相談すればよかった」

葵は立ち上がり、洋室へ入ってきてエプロンを手にとる。ダイニングテーブルにそろった面々の空気が微妙に変わったことに小夜子は気づいた。話が中断されたからか、みな白けたような顔つきでこちらを見ている。小夜子は意見を切り出したことをとっさに後悔したが、葵はかまわずエプロンをかけてみせ、

「じゃあこれ、このあたりで切ってもらおうかなあ、それとも作りなおしたほうがいい？　ボスどう思う？」

そんなことを訊いてくる。

「楢橋さん、それはともかくさっきの続き煮詰めましょうよ」関根美佐緒が言い、

「掃除はあくまでも本業ではないんだし、先行きわからないんだからお金あんまりつか

わないほうがいいんじゃないですか」岩淵さんがうんざりしたような声でつぶやいている。

「でもさ、掃除が救世主になるかもしれないんだから、ボスの意見も尊重してまじめに取り組まないと」木原がとりなすようなことを言った。

「ねえ、ちょっとみんな、もう五時だよ、マオちゃんとかお昼抜きでしょ？　続きにしてもなんにしても、とりあえず場所移さない？」

エプロンを外しながら、葵はダイニングテーブルをふりかえって言った。

「それがいけないんだって。ビールつきでしょ？　そうやって会議するからめちゃくちゃになるんじゃない」木原が冗談めかして言う。

「だって、難しい顔をつきあわせてたってなんにもかわらないじゃん。だったらごはん食べながら話したほうが、やる気も出ようってもんじゃないの。ね、移動してゆっくりやろう。あとは何を話し合うんだっけ、山口さん」

「上位の累計の問題点」

「そうそう、問題点。そんなのしらふじゃやってられないよ。さあ、いこいこ。私が自腹でおごっちゃうからさあ」

みなちいさく失笑を漏らしながら立ち上がる。わいわいと話しながら彼女たちが出ていくのを、小夜子はぼんやりと見ていた。

「ボス、今から外で会議なの。長引くかもしれないけど途中抜けしてかまわないから、いかない？」

いっしょにいきたいとちらりと小夜子は思う。問題点とやらを話し合ったあとでいいから、ユニフォームの案について、掃除業務の見通しについて、いつものように意見を言い、ああでもないこうでもないと葵たちと言葉を交わしたかった。けれど時計に目を落とし、

「ちょっと時間がむずかしいかな」小夜子は笑顔をつくった。

「そうだった、ごめんなさい、保育園のこと忘れてた。重要会議ってわけじゃないから、気にしないで。エプロンの件も、ちょっと話し合ってみるね。余裕ありそうだったら作りなおすことにするから、そのときは電話する。裾は短め、色は、……えーと何色がいいんだっけ？」

「グレイとか、ブルーとかかかな」

「了解。それじゃ、ポストに鍵お願いねー、冷房はつけたままでいいからね、お疲れー」

歌うように言って葵は部屋を出ていく。玄関のドアがしまる音を小夜子は耳をすませて聞いていた。小夜子の足元には、葵の脱ぎ捨てたエプロンが影みたいに落ちていた。

事務所の扉を開けると、木原とぶつかりそうになった。

「あれ、忘れ物？」小夜子は驚いて木原を見上げる。

「ああ、携帯忘れちゃって。ボス、今終了？　送ってきましょうか」木原は靴を脱ぎ、散らかったダイニングテーブルをあさって携帯電話を捜している。

「送るって？」

「高速乗れば、車のほうが速いんじゃないかと思って」

見つかったらしい携帯電話をポケットに入れ、こちらに向かって歩いてくる木原をぽかんと小夜子は眺めた。

「会議してるんじゃないの？」

「もうほとんど飲み会。おれは社員じゃないし、あんまし意見も通んないから。どうします、乗っていきます？　どっちにしてもおれ、そっちのほうに用あるし、遠慮しないでください。三十分くらいで着くと思うけど」

小夜子は腕時計に目を落とす。五分でも早く保育園に着けるならありがたかった。

「じゃあお言葉に甘えちゃおうかな」

「了解っす」木原はさわやかな顔で笑い、小夜子から受け取った鍵をドアノブに差し入れた。

住宅街の狭い道を器用に通り抜け、やがて大通りに出る。歩道沿いに植えられた街路樹は、青々と陽を反射させている。九月の町にはまだ夏が居座っているようだった。

「なんだか助かっちゃった、本当によかったの？」助手席の小夜子は言った。

「いや、マジでついでだったんで、かまわないっすよ。それよりどうです、チラシ配り。まだ暑いから、けっこう厳しいんじゃないですか」

「でも、依頼がこなかったら私が雇われた意味ないじゃない？」

「葵さんもなあ、なんていうか計画性がないからなあ」

高速道路は空いていた。小夜子は腕時計に目を落とす。木原は運転しながら左手を足元にのばし、散らばったCDを拾い上げている。

「ボスって、本来の、ってつまり、旅行のほうの仕事を手伝う気はないんですか？」

「楢橋さんにそう言われればそうするけど、でも、あくまでも私は掃除部隊で雇われたわけだし」

「掃除もなんだかなし崩し的にはじまっちゃったけど、正直、どうなんすかね？　さっきの飲み会っていうか会議聞いてると、みんな掃除のことはまだ乗り切れてないような感じするんだよなあ。ボスなんかはどうです？　葵さんのやりかた、どう思います？　今って結局チラシ配りのアルバイトとかわらないじゃないですか。そんなんで不安にならないですか」

CDケースを膝の上にのせたまま、木原は切れ目なく話した。木原が何を訊きたくて何を話したいのかわからず、小夜子は淡い苛立ちを感じる。木原は質問を投げかけたまま小夜子の答えを待たず、どこか楽しげに葵の経営態度について話しはじめる。経営に向いていないだの、いいかげんすぎるだの、冗談混じりにこきおろしている。木原の話に深刻味はなく、けなすことでかえって親密さが感じられた。木原に合わせてときおり小夜子も笑ってみせたが、あまりおもしろい気分ではなかった。

「掃除だって、あれでしょ、きっと中里さんともりあがって、軽い気持ちではじめたんだろうけど、今すぐプラプラの救世主になるようには思えないしねえ」

「でももうはじまってるんだし、少なくとも私は軽い気持ちではないわ」

小夜子は口を挟んだ。木原は小夜子をちらりと見て、「それですよ」眉間にしわを寄せて言う。「ボスが軽い気持ちじゃないのは当然です。ただ、葵さん自身が軽い気持ちだったら、それってボスにも失礼な話だと思いませんか」

「ごめんなさい、話が見えないんだけど」小夜子は苛立ちを隠すように、笑顔をつくって言った。

「いやあ、葵さんってなんでもほいほい引き受けちゃうところあるから、ときどき社員にツケまわってきたりするんすよね。掃除も結局、今動いてるのはボスだけだし、どうなのかなあって」

「木原さんって、プラプラの苦情係？」小夜子は訊いた。冗談めかしたつもりだったが、尖った声が耳に届いた。それを聞くと木原は上を向いて笑い、

「まあそんなとこっすかね」

と曖昧な返事をする。木原が何もので、なぜプラチナ・プラネットの周囲にいて、今自分から何を訊き出そうとしているのか、小夜子にはまったくわからなかった。わからないことの不快さだけが残った。

「おれ葵さんのファンなんすよ。葵さんはめちゃくちゃだけどおもしろいところもあるんで、いっしょにいて勉強にもなるし」

木原はハンドルを握りながら説明をはじめたが、小夜子は適当に相づちを打ってふたたび腕時計に目を落とした。なぜかわからないが、木原が何かを説明しても不透明さが増すばかりだった。もうすぐあかりに会える。木原の話を聞き流しながら、小夜子は胸の内でそうくりかえす。上の空の返事しか返ってこないことに気づいたのか、木原は口を閉ざしＣＤをデッキにすべりこませる。もうすぐあかりに会える。自転車で走る駅から保育園までの距離を思い浮かべながら、頭上に武蔵野市の標識があらわれるのを小夜子は待つ。遠くに突き出たビルの看板はなかなか近づかず、日に照らされたおもての光景は静止しているように見えた。

10

階下の母の気配をうかがって、二階の電話にそっと近寄り、受話器をとって葵は素早く番号を押す。いらいらしながら呼び出し音を待つが、けれど聞こえてくるのはやはり、この電話番号は現在使われておりません、という甲高い女のアナウンスだった。

「アオちゃん、おやつ食べる？　シュークリーム作ったんだけど」

階下から母に呼ばれ、あわてて葵は受話器をもとに戻した。おそらく母は、親機をじっと見張っていたのだろう。二階で電話をかければ階下の親機に緑のランプがつく。家にいるときの母は、一日じゅう居間にいて親機をじっと見据えているらしい。

「ううん、いらない」

葵は答え、自分の部屋に戻った。ベッドに腰かけて窓の外を見る。田んぼは稲が刈り取られ黒と茶の混じったような色で広がり、桑畑は黄色く色あせている。濁ったグレイの空がどこまでも続いている。

戻ってきてから、だれかしらが家にいる。本当は母がパートをやめてずっと家にいたいのだろうが、経済状況が許さないらしく、パン工場で週四日働く母の留守時は祖母が通ってくるようになった。そんなふうに見張られていなくたって、家を出てもいくべき場所が葵にはもうない。

死んでしまおうという明確な意志はなかった。葵はただ、どこかべつの場所にいきたかった。カツアゲをしなくてもいい、ラブホテルを捜し歩かなくてもいい、補導員の目にびくびくしなくてもいい場所。

気がついて開いた目に飛びこんできたのは白い色で、べつの場所にくることができたのかと一瞬葵は思った。もうカツアゲをしなくてもいい、ラブホテルを捜さなくてもいい、ディスコにごはんを食べにいかなくてもいい、お金の計算をしなくてもいい――でもナナコはどこだろう？　ゆっくり首を傾けると母の顔が目に入った。泣いていた。母のうしろに父もいた。こわばった顔をしていた。二人の口にする自分の名が、遠くから徐々に近づいてきて、葵はようやく、自分がどこにもいっていないことに気づいた。ナナコはどこ？　葵はそう言ってみたが、父と母には聞こえなかったのか、ふたりは葵の名前をくりかえすだけだった。

病室は個室だったが、テレビもラジオもなかった。ベッドサイドの花瓶の花を母は毎日かえた。葵とナナコが飛び降りたのは、マンションの正面玄関ではなく、隅に自転車置き場のあるマンションわきだった。駐輪場のトタン屋根でバウンドし、芝生敷きの地面に落ちたふたりは、骨折すらせず打撲だけですんだということを、葵はのちに知ることになるのだが、病院にいる葵には何が起きているのかまったくわからなかった。なぜ自分が病院にいるのか、ナナコはどこにいったのか。父と母は葵に何も訊かなかった。

母は、この病院はあなたが生まれたところなのだと、葵には能面のように見える顔で幾度もくりかえした。実家に戻って出産する予定だったのが、予定日よりだいぶ早く陣痛が起きて、二カ月近い早産だった。夏の盛りの暑い日に、磯子のマンションから一番近いこの病院で、あなたは未熟児で生まれた。夏の花の名前にしようって、おとうさんとずいぶん悩んで名前を決めた。保育器に入ったままだからなかなか抱くことができず、あたしは毎晩のように泣いた。やっと抱けたときはうれしくてうれしくて涙が止まらなかった。この子は何があってもあたしが守るとそのとき思った。びっくりするほどちいさな、でもとてもかわいい子で、看護婦さんたちが抱かせてくれと列を作ったほどだった――そんな話を、くりかえしくりかえし話した。夜になるとやってくる父は、ふだんどおりあまりしゃべらず、パイプ椅子に腰かけて、何か食べたいものはないか、ほしい漫画はないかと、照れたような顔で訊いた。ナナコはどこにいったのかという問いには、ふたりとも答えなかった。

毎日のように検査があり、面接のようなものを受けさせられた。白いつるんとした印象の部屋で、やけにものわかりのいい口調で話す女が、好きなアイドル歌手はいるかとか、一番好きな科目は何かとか、苦手な教師はだれかとか、葵にはどうでもいいことをしたしげに訊いてくるのだった。

ナナコはどこにいるのか、看護婦たちも、担当医師も、面接の女も教えてくれなかった。何も聞いていないし知らないと言うだけだった。

病院内のどこにいくにも母がついてきた。検査にも、面接にも、トイレにいくのにも。あるとき、面接を終えた葵が部屋から出ると、いつもベンチに座って待っている母の姿がなかった。トイレかどこかにいったのだろうと葵は思い、ジュースを買うつもりでひとり売店にいった。レジの列の最後尾につき、何気なく棚に並んだ雑誌を眺めていると、女子高生、異常性愛ののちにたどりついた飛び降り心中、と週刊誌の表紙に書かれた文字が、まるでそこだけくりぬかれたようにくっきりと葵の目に入った。レジの列を抜け、葵はその雑誌を手にとった。自分たちのことらしかった。九月初旬から葵は捜索願いが出されていたらしい。伊豆と東京を中心に、ずいぶん大がかりな捜索がなされていたらしい。嫌悪していたから横浜にいるはずがないと母は言っていたらしい。けれどそんなことはどうでもよかった。葵は文字に目を這わせてナナコの安否と居場所が記されていないか必死に捜した。けれどそれが見つかる前に、母親がすっ飛んできてものすごい勢いで葵の手から雑誌を奪いとった。アオちゃん、おばあちゃんきたよ、あのねはせがわのケーキ買ってきてくれたって、病室で一緒に食べよう、と言っていることとはちぐはぐな必死の形相でわめきたて、売店の客が全員もの珍しげに視線を投げかけていた。

何かほしいものはないかと訊く父に、葵は週刊誌を頼んだ。一瞬泣きそうな顔をした父が次の日買ってきてくれたのは、青年向けの週刊漫画だった。漫画雑誌に自分たちのことが何か書かれてはいないかと、読者投稿欄から特集記事まで葵は目を通した。何も書かれてはいなかった。

病院には二週間ほどいた。ナナコがどこにいるのか知らないまま、父のタクシーに家族三人乗りこんで家に帰ってきた。冬休みまで学校へはいかなくていいと母に言われた。言われなくてもいく気力など葵にはなかった。帰ってすぐナナコの家に電話をした。受話器から聞こえたのは、この電話は使われておりませんという冷たい女の声だけだった。

家に帰ってきてからずっと、父と母と祖母はローテーションを組んで葵を見張っている。あいかわらず何も訊かないし、ナナコのことについても触れない。葵はずっと自分の部屋にこもり、冬模様になっていく窓の外をただ眺めていた。

けれど家にいるあいだ、何が起きているのか徐々に葵は理解した。家のまわりをうろついている知らない男や女がマスコミの取材陣だということ。ナナコも自分と同様軽傷で、べつの病院に運ばれたこと。気配を消して二階を歩き、家捜《やさが》しした両親の部屋で、数冊の雑誌も見つけることができた。滅多に開けることのない和箪笥《わだんす》の和服の上につっこまれていたそれを、葵は自分の部屋で熟読した。そしてさらにいくつかのことを知った。

飛び降りたのち、葵が克明につけていた日々の記録が見つかった。女子高生二人が泊まり歩いていたのがラブホテルだったことで、世のなかは単純に、葵とナナコは恋愛関係にあったと思ったようだった。あるいはそうしたほうが盛り上がるんだろう。最初から駆け落ちをするつもりで伊豆にアルバイトにいき、ラブホテルで愛し合い、ディスコに通い詰め、許されない愛に悩んで心中を決意したという安っぽいストーリーに仕上がっていた。葵にはすべて他人事に思えた。本当のことなど何ひとつそこにはなかったから。

ナナコについて書かれていることもきっと本当ではないんだろうと、だから葵は思った。たとえばナナコの父親は薬物の更生施設に入院していて、母親はキャバレーの雇われママであるとある雑誌には書かれており、けれどべつの雑誌には、ナナコの父は軽犯罪で刑務所にいて、母親は高崎で売春をし週末しか家に帰ってこなかったとあった。父は若い女と駆け落ちというのもあり、母は会社社長に囲われていたというのもあった。

あのとき訪ねたあの部屋だけが葵にとっては本物のナナコの背景だった。生活と人の気配がまるでしないがらんどうの部屋だ。

葵の家庭環境はドラマチックに脚色しようがなかったのだろう、まじめでおとなしい生徒だったことだけが強調されていた。

記事を全部読めば、そこに本当のことが何ひとつないとしても、ナナコが葵を誘い、連れまわしていたという図式が完璧《かんぺき》にできあがる。たとえこの陳腐な記事を鵜呑《うの》みにしない賢い人がいたとしても、そういう印象は持つだろう。葵はそのことに一番傷ついた。ばかだねこいつら、あたしたち、レズってことになってるよ。ま、それもいいけどね。でも世間って単純だよね。ね、明日から、腕組んで登校しようか？　そう言って笑い出すナナコの声がして葵ははっと顔を上げた。夏の制服が掛かったままになっている黄ばんだ壁が、けれどそこにあるだけだった。

今まで夕飯どきにめったに家にいなかった父は、毎日その時間だけ帰るようになった。テーブルには葵の好物が並ぶ。ハンバーグやオムレツや、餃子や茶碗蒸しや、鮪《まぐろ》の刺身やグラタンが、取り合わせを無視して何品も。いつもついていたテレビは消えていて、父と母が即興劇のようにやかましく会話する。いつも決まって「たのしい」話題だった。食欲はまったくなかったが、食べないと即興劇はエスカレートして延々と続く。葵は無理にでも箸を口に運び続けた。

その日母はおらず、祖母がきていた。祖母が夢中になっている唯一のテレビ番組、水戸黄門の音声が二階にまで響いてくる。それを聞くともなく聞きながら窓の外を眺めていた葵は、ふと顔を上げ、はじかれたように立ち上がってジーンズに脚を通した。このところずっと着たままのパジャマの上からセーターを羽織り、コートも着ず小銭だけ入った財布を持って、足音を忍ばせて階段を降りた。水戸黄門はとぎれコマーシャルになる。ふたたびドラマがはじまるのを、階段の壁にはりついて葵は待った。コマーシャルが終わると、息を殺して葵は廊下をすり抜けた。スニーカーを突っかけ、音をたてないように鍵をまわす。ふりかえるが、居間の祖母が気づいた気配はない。相変わらず大音量で水戸黄門が流れている。

ドアを開け、冷たい空気のなかに葵は飛び出した。門を出てバス停まで一目散に走る。平日の昼間はしずまりかえっていて、歩いている人もいなかった。少し前までうろついていたマスコミの人間も、最近ではもう見なくなっていた。バスはなかなかこず、いらいらと葵は足踏みをくりかえす。息が白い。指の先がじいんと冷たくなる。ずいぶん長いことおもてに出ていなかったことに葵は気づいた。

バスを乗り換え、一度だけの記憶をたよりに、葵はナナコの住んでいた団地まで走った。同じかたちの建物を縫うように走り、Eと書かれた棟を捜す。全速力で階段を駆け上がり、見覚えのあるドアのわきのインタホンをたてつづけに鳴らした。返事はない。肩で息をしながら葵はドアノブに手をかけた。

開いた。思いきり扉を開け放つ。葵の目の前に、何もない空間が広がっていた。かつてあったゴミ袋も冷蔵庫も弁当の空き箱も、奥の部屋の畳すらもなかった。奥の和室の窓が、隣の建物を見せているだけだった。ドアノブを握ったまま玄関に立ち尽くし、何もなくなった部屋を葵は呆然と見まわした。

しかし、どこがちがうというのか。葵は思った。あのときだって、ここには人の気配も生活のにおいもしなかった。今とまったく同じだ。ひょっとしたらこのなんにもない部屋で、ナナコは今も暮らしているのではないか。

スニーカーを脱ぎ、部屋にあがる。外は晴れていたのに部屋のなかはどんよりと暗い。あちこちに焼けこげやしみの残るリノリウムの床は、足を踏み出すたびぎしぎしと鳴った。ナナコのにおいをかぎ取るために、大きく息を吸いながら葵は部屋をうろつきまわった。けれどそこにはやはり何もなかった。ナナコの抱えていた空洞の気配すらも、感じ取ることはできなかった。足の裏が切りつけられたように痛み、靴下をはいてこなかったことに気づいた。痛いほど冷たい床の上で立ち止まると、荒い自分の呼吸音だけが耳に届いた。

下校時によくいっていたナナコの「隠れ場所」にもいってみた。ナナコの姿はないにしても、何かメッセージが残されているのではないかと思ったのだった。

けれど河原にも、橋のたもとにも何もなかった。冬空の下で、色を失った枯れ草がうなだれているだけだった。夏休みに入る前に、ここでナナコと投げ捨てたアイスクリームのビニールパックでもいいから目にしたくて、ずいぶん長いこと葵は草むらを捜し続けたが、見覚えのない焼酎の空き瓶や黄ばんだ新聞紙しか、見つけることはできなかった。

家に帰ると、もっと遅くに戻るはずの母がいた。葵がいなくなったことに気づいた祖母が呼んだらしい。廊下に立ちふさがる母をよけ、階段を上がりかけた葵の背中にいきなり母が叫んだ。

「何が気に入らないのよっ！」葵はゆるゆるとふりかえる。母は泣いていた。「もう我慢できない！　あんたのっ、あんたのためを思って精一杯やってるじゃないのよ！　あたしたち、一生懸命やってるじゃないのっ！　どうしたらいいのよ、どうしてほしいっていうのよっ！　言ってごらん！」居間から祖母が転がり出てきて、おろおろと母に抱きつく。ごめん、あたしが悪かった、テレビに気をとられていたんだよと、祖母はちいさな声でくりかえしている。葵を見、ほらアオちゃんあやまんな、おかあさん心配したんだからと、じれたような声で言う。

「もうたくさんよっ！」母は祖母を無視して葵に叫び続けた。涙と鼻水が一緒になって顎をつたい、母の胸元に落ちるのを葵はぼんやりと眺めた。「もうたくさん、あたしのどこがいけないっていうのよ、一生懸命やっているのに、どうしろっていうの、どうしろっていうのよ、教えなさいよっ！　なんか言ったらどうなのよっ！」

葵はゆっくりと口を開いた。鼻の奥が鈍く痛む。発音しているのに声が出ない。

「何、聞こえないわよ！　はっきり言いなさいっ！」母が絶叫する。

幾度か口を動かしたあと、ようやく喉の奥からかすれた声が出た。

「おかあさん、ナナコはどこにいっちゃったの？」

自分は泣いているのだろうと葵は思ったが、声と同じく目は乾いたままで、ただ鼻の奥が痛み続けるだけだった。

11

リズミカルな曲に合わせて、もも組の子どもたちが縄跳びをしている。一度もつっかえずに跳ぶ子どももいれば、縄が足に絡まって、そのままその場にしゃがんでしまう子どももいる。空は高く晴れている。レジャーシートに座りビデオカメラをいじっていた小夜子は、プログラムに目を移す。四歳児クラスの縄跳びのあとは、一歳児クラスの親子競技があり、あかりのクラスの親子ダンス、それから五歳児のかけっこ、あかりのダンスはその次だと、もう何度もした確認をする。

門や園庭を飾る運動会の垂れ幕や折り紙細工、園庭に集う全児童、にぎやかに鳴り続ける音楽、いつもと違う雰囲気に圧倒されているのか、あかりは小夜子のシャツの裾を片手で握りしめたまま離そうとしない。同じ組の女の子が近づいてきても、小夜子のうしろにさっと隠れてしまう。

縄跳びが終わり、親子競技がはじまるとアナウンスが響く。まだよちよち歩きの赤ん坊を抱いた母親たちが、どこか照れくさそうに園庭の真ん中に集まりはじめる。土曜日だということもあって、両親ともに参加している家族がけっこう多い。スーツ姿の父親もいるが、ああいう人は運動会に出てから会社にいくのだろうかと、陽射しに目を細めて小夜子は見知らぬ家族を目で追う。

あかりのはじめての運動会は修二も楽しみにしていた。久しく使っていなかったビデオカメラで試し撮りをしていたし、親子ダンスをふざけて練習したりもしていた。仕事にいかなきゃならなくなったとゆうべ遅く帰ってきて言った修二に、残念ね、と言ったのは、言葉通りの意味だった。せっかくの土曜日に仕事が入り、楽しみにしていた運動会にいけないのは残念だと、小夜子は言ったつもりだった。けれど嫌味を言われたと思ったらしい修二は、叱られた子どものような顔をして、きみとは違うんだと言った。きみみたいに、だれにでもかわってもらえる仕事とは違うんだから仕方ない、自分がいかなきゃ進みようがないんだから、と。そういう修二のもの言いには慣れっこじゃないかと自らに言い聞かせるものの、その一言はどうしても小夜子の頭から離れない。

はじめての見積もり依頼がきたのは先週だった。しかも前後して二件。どちらも、小夜子がチラシを投函《とうかん》した地域だった。小夜子が見積もりに出向いた。二件ともマンションに住む、ちいさな子どものいる家庭だった。一件目の経堂は、あかりと同い年くらいの男の子がおり、母親は十時に出勤するという。二件目の笹塚は、小夜子より若い女がおんぶ紐で赤ちゃんを背負っていた。フリーランスでイラストを描いていると言っていた。時間や料金について説明し、質問に答えながら、向き合った女たちが、長年の近しい友人であるような錯覚を小夜子は感じていた。夫の愚痴をこぼしあい、育児の不安を分かち合い、舅《しゅうと》や姑とのささやかな諍《いさか》いを笑い飛ばし合ってきた身近なだれか。困ったときには助け合おうと、女学生のように真剣に言い合っただれか。

汚れた台所を見ても、かびだらけの風呂場を見ても、おもちゃと洗濯物と埃の散乱するリビングルームを見ても、以前のような嫌悪もとまどいも小夜子は感じなかった。ほかの業者でなく自分に掃除をさせてほしいと小夜子は強く思った。できれば関根美佐緒や長谷川マオの手も借りたくなかった。自分の手でぴかぴかに磨き上げたかった。その短い時間のあいだでも、近しいだれかに休息をとってもらいたかった。

どちらもその場で契約にはこぎつけなかった。ほかの業者と比較して連絡すると言われ、小夜子はマンションをあとにした。それでも充実感があった。

偉業を成していると思い上がっているわけではなかった。けれど、公園巡りで鬱々としていた自分が、何かを変えたいと思い、腰をあげ、何もないところから参加し、女たちと意見を言い合い、試行錯誤をくりかえしながら、少しずつ掃除業務をかたちにしようとしている。それは修二の言うように意味があるとかないとか、だれかと取り替えがきくとかきかないとか、そういうこととは遠く隔たったことに小夜子には思えた。

同じクラスのレンくんやチーちゃんが、すぐそばでふざけながらダンスのおさらいをしている。ちらちらとそちらを見て気にしていたあかりは、レンくんママに声をかけられようやく立ち上がって彼らのもとにいく。

「この子ったらね、今日も練習するの？　なんて言うの。本番だって言ったら、きょとんとしちゃって」

チーちゃんママが小夜子に話しかける。

「あかりは朝早くから起きだして、ひとりで踊ってるのよ、ぎょっとしちゃった」

小夜子は笑った。音楽が流れ出し、子どもを抱いた父母がそれに合わせて踊り出す。あかりと子どもたちは、動きを止めてその光景をぽかんと眺めている。ボス、と呼ばれた気がして小夜子は顔を上げた。こんなところでボスと呼ぶ人はいないことに気づいて苦笑したとき、閉ざされた園門にしがみついて手をふっている葵の姿が目に入った。

「楢橋さん」思わず立ち上がり、小夜子は門へと走った。

「どうしたの、こんな時間に。どうしてここがわかったの」何がなんだか意味がわからない。

「携帯が」寝不足なのかむくんだ顔の葵は息を切らして言う。「携帯通じなくて、それで、吉祥寺に用があってね、近いでしょ、ここから」

「携帯って私の？　あ、電源切ってた」

「そう、それで、近いから、ここの住所も聞いてたし、ついでに」

「ついでにって、ついでに運動会を見にきてくれたの？」

「違うの、そうじゃなくて、ボス、あのね、先週の、見積もりね」そこで言葉を切り、葵は肩で息をして、「決まったの！　両方とも朝電話があったの、うちに頼みたいって、ぜひお願いしたいって！」大声で言った。小夜子は目を見開いて葵を見る。葵がここにいる不思議さを完璧に忘れ、や、とつぶやき、次の瞬間、

「やったーっ！」大声を上げて飛び上がった。

「ばんざーいっ！」門の向こうで葵も飛び上がっている。

門の柵越しに葵の手を取り、やった、すごい、やったと、小夜子は何度もくりかえした。

「それでね、今日午前中吉祥寺に用があったから、吉祥寺なら近いじゃない？　それで、ほら、運動会ってこと聞いてたから、きっと会えて、直接伝えられるって思って、すっ飛んできたの」

葵の手を握りしめたまま、うん、うん、と小夜子はうなずいた。葵の額から汗が流れ

こめかみを伝うのを見て、

「楢橋さん、意味なくないよね」小夜子は言っていた。「意味ないことをやってるわけじゃないよね。私、ど素人だし、社交下手だし、だけど、私にもなんかできることがあるよね」

「何言ってんのよ！　一からはじめて契約までこぎつけたんだよ、ボスがいなきゃあり得ないことだったんだから」

葵の声がおろおろして、なぐさめる口調に変わっている。自分が泣いていることに小夜子は気がついた。親子競技の曲が終わる。拍手が起こり、アップテンポの曲が青空に流れていく。泣くなんて馬鹿みたいだと小夜子は思った。契約がとれたって、成果を見せるのはこれからなのだ。まだ何もはじまっていないのに。

「ならっ、楢橋さんっ、うれしいよう」けれど泣きやむことができず、涙と鼻水を垂らしながら小夜子は泣き笑いをした。

「やーねえ、泣くか笑うかどっちかにしてよ、っていうか、門を開けて私をなかに入れてくれるのが先じゃない？」

「あ、そうだった、ごめん、楢橋さん、もうすぐ私あかりと踊るから、時間あったら見てって」

子どものように手の甲で涙と鼻水を拭い、小夜子は門をがらがらと開けた。

結局葵は最後まで運動会を見ていた。ビデオ撮影を名乗り出て、あかりと小夜子の親子ダンスを撮り、他の父兄と競い合ってあかりのダンスを撮っていた。朝早くから練習していたあかりは、音楽がはじまっても動き出さず、人形みたいにかたまって目だけ動かし、周囲の子どもたちをじろじろ見るだけだった。あーちゃん、がんばれ、踊れ、と声をかけながらも、その様子があんまりおかしくて、小夜子は葵といっしょにげらげら笑い転げた。

「楢橋さん」隣に立ってビデオカメラをかまえる葵に小夜子は言った。「楢橋さんといっしょだと、なんだかなんでもできそうな気がする」

葵は一瞬真顔で小夜子を見つめた。その視線に、小夜子は問いを突きつけられた気がしてどきりとする。なんでもできるって、いったい何をしたいんだ。何をするつもりなんだ。胸の内に思い浮かんだ一瞬の問いの答えを捜す前に、しかし葵は顔を崩して笑い、肘で小夜子を小突いた。

「やーね、おおげさ。見積もりきたって終わったわけじゃないんだからね」そしてふたたびビデオカメラを構え、声をはりあげてあかりの名を呼んだ。

「ねえ、前に言ってた温泉いかない？　初仕事の前祝いってことで」

いたずらをする子どものような笑顔で葵が言ったのは、運動会がすべて終了し、保育園を出たときだった。

「いつ？」小夜子は訊いた。

「今よ」葵は平然と答えた。

「今から？」驚いて小夜子は訊き返した。

「そう。今から、三人で。ボスと、私と、あかりちゃん。明日は日曜だし」

「今から？」

小夜子はくりかえした。門の前では、自転車に子どもを乗せた母親たちが輪になって立ち話をしている。運動会の興奮が冷めやらず、大声で話しては笑っている。小夜子の名を呼び、手をふって帰っていく母親もいる。

「まだ二時にもならないから、どこへだっていけるよ？　でもまあ、近場にしとこうか。江ノ島じゃ近すぎるかな、熱海はどう？　熱海ならいい宿知ってるの。海見ておいしいもん食べて温泉つかんない？」

たからものをそっと見せるような口調で葵は言う。小夜子はぽかんと口を開けたまま、葵の顔をまじまじと見た。そんなことができるはずがない、と思う一方で、いっちゃえ、と思ってもいた。何ごともなかったように帰ってくる修二を、何ごともなかったように迎え、葵が撮ってくれたビデオを見せるのはしゃくに障った。だれにでもかかわってもらえるような仕事しかできないと修二は言うが、その私がいなければ食事の支度だって満足にできないじゃないかと、思い知らせてやりたい気持ちもあった。

「ねー、あかりちゃんもいきたいよねえ」葵はしゃがみこんであかりに顔を近づける。

今日一日でだいぶうち解けたのか、あかりは笑いながら逃げて小夜子のうしろに隠れる。

「いっちゃおうかな」ぽつりと小夜子はつぶやいた。

「よし、きーまりっ」

葵はあかりを抱き上げ頬ずりする。いやー、やめてえ。あかりは身をよじって笑う。

駅を降り、ロータリーを突っ切って、古びたホテルの建ち並ぶ路地を進むと、突然視界が開け海が広がっている。うわあ、小夜子は思わず声をあげた。東海道線のなかでビールとワンカップをそれぞれ二本空け、よだれを垂らして爆睡していた葵は、酔いが残っているのか、小夜子が立ち止まるとその場にしゃがみこんだ。

「うええ、気持ち悪い。調子にのって飲みすぎた」

「海、海、海だよ、楢橋さん！」

小夜子は言って、あかりの手をひいて走り出した。信号無視して道路を渡り、ガードレールを越えて砂浜に立つ。陽はまだ高く、波のない海面がちらちらと瞬いている。砂浜にはひとけがなく、隅にとうもろこしの暖簾《のれん》を掲げた屋台があった。

なおも海に近づこうとした小夜子は、あかりとつないだ手がぐんと重くなってふりむいた。
「どうしたの、あーちゃん」
あかりはその場に仁王立ちして足を踏ん張り、すさまじい力で小夜子の手を握ってい
る。頬が引きつり、体全体に力を入れてこちこちになっている。
「あっ、そうか、あーちゃん、海見るのうまれてはじめてかあ」
小夜子は声をあげ、かたまっているあかりの様子がおかしくて、思わず笑い出した。
「へいきへいき、こわくないよ。あーちゃん、赤ちゃんのとき海いったんだよ、ママの
おうちのそばの海。忘れちゃったんだね。でもこわくないよ。海、きれいだよねえ」
小夜子はしゃがんであかりに話しかける。あかりは口を真一文字に引き結んで、目の
前に広がる広大な水をにらみつけている。はあはあと息を切らし、葵が追いつく。
「はー、ボス元気だなあ。駆けだすんだもん」
「ちょっと見て、この子」小夜子は笑いながらあかりを指さす。「海はじめて見て、か
たまっちゃった」
「えぇー、海、はじめて見たの？　そりゃあすごいや、記念すべき初体験か」
葵は言ってあかりを抱き上げ、へばっていたのを忘れたように海に向かって駆けだし
た。あかりは火がついたように泣き出す。砂に足をとられながら小夜子もあとに続いた。
運動会用に持参していたレジャーシートを砂浜に敷き、泣き続けるあかりを真ん中に

小夜子と葵は腰を下ろす。太陽は何にも遮られずまっすぐ降り注ぎ、夏に逆戻りしたような錯覚を小夜子は味わった。

「なんだか嘘みたい」小夜子は言った。

「何があ？」レジャーシートに仰向きに寝転がって葵は言う。

「ここにいることが、嘘みたい」

「フランスやエジプトにきたわけじゃあるまいし。東京から二千円の距離じゃん」葵は空を向いて言った。

「ほんとだね」

泣きやまないあかりに、バッグから飴玉を出して小夜子は口に含ませる。あかりはぐずりながらも飴をなめ、小夜子にしがみつきつつもときおり海をふりかえっている。波は打ち寄せて白くうねり、白を砂浜に残して引いていく。少し遅れて波の音が聞こえてくる。頭上高く、鳶《とび》が飛んでいる。

「なんか小腹空いたな。ちょっと待っててね」

葵はがばりと立ち上がり、財布を持って屋台へと駆けだしていく。数分も経《た》たずして、とうもろこしと缶ビールを片手に戻ってきた。一本を小夜子に渡し、あぐらを組んでとうもろこしにかぶりついている。醤油の焦《こ》げる香ばしいにおいが鼻をくすぐる。小夜子もまだ熱いとうもろこしに歯をたてた。泣きやんだあかりは、小夜子の食べるとうもろこしに手を伸ばす。

「なんか、高校生のころを思い出すな」小夜子はぽつりと言った。高校三年生のころ、一時期仲のよかった友達とよく電車を乗り継いで海にいった。砂浜に座って何時間でも話していた。何を話していたのかさっぱり思い出せないが、日暮れどきになるといつも心細くなったことを思い出す。

「家に帰るのがいやで、暗くなるまで浜辺でぐずぐずして。家に帰ると、自動的に明日になっちゃうでしょう。それがいやだったんだな、きっと」

「私も、高校生のころを思い出す」あぐらをかいた葵は、水平線の向こうに目を凝らすようにしていった。

「楢橋さんも海のそばに住んでたんだ」

葵はそれには答えず、

「海ってさあ、なんか浄化作用があるよね」そんなことを言う。「いろんなことをさ、毎日、こう、あとまわしとかにするじゃない。そんで気がつくと、たまりにたまったものがどーんって背中にのしかかってくる感じ、するじゃない。うわ、もうだめだ、押しつぶされる、とか思うんだけど、こうして海見にくると、それがすうっと溶けていくような気がする。錯覚かもしれないけどさ、なんか気が楽になる」

小夜子は葵を見る。会社を経営している葵の「たまりにたまったもの」の具体的な内訳はわかりようもないが、しかしたしかに、日常の鬱憤《うっぷん》や、口に出せずためこんだ怒りや、未来への漠然とした不安が、しゅわしゅわと泡のように消えていく気が小夜子もした。

「じゃあ、年とったら海のそばで暮らそっか。ご近所に家建てて、毎日海見ながらお茶飲んで」小夜子は言った。

「いいね、私もときどきそういうこと考えることある。気の合う人たちで集まって、隣近所でね」

葵が言うとそれはただの願望ではなく、いともたやすく実現可能な設計図のように、小夜子には聞こえる。

ママー！　あかりが叫ぶ。手が、手がべたべたすると、とうもろこしの醬油だれがついた両手を小夜子に差し出し、泣きそうな声で訴える。

「おっしゃ、海で洗おうっ」

葵は食べかけのとうもろこしをシートに置き、あかりを抱き上げて海へと走る。波打ち際でふたたびあかりは声をはりあげて泣き出した。葵はあかりの手が海の水につくように腰を曲げ、波が近づくと走って離れ、甲高い笑い声をまき散らしている。小夜子は目を細めてその様子を眺めていた。葵の赤いコートが風にひるがえる。あかりは泣き声とも笑い声ともつかない雄叫《おたけ》びをあげている。ちらちら光り続ける海を背景に、二人の姿も輪郭を金色に光らせて揺れている。

太陽は角度を変え、吸い寄せられるように海に近づいていく。海のちょうど真ん中が、帯を一本流したように橙色に染まっている。泣いたり騒いだり、笑ったりこわがったり、せわしなく時間を過ごしていたあかりは、運動会の疲れも手伝って、小夜子の腕のなかでうとうとしはじめている。こつんと寝てははっと目をさまし、「あのね、あかりはね」と、ねぼけまなこで懸命に小夜子と葵の会話に加わろうとする。背中を静かに叩いてやると、やがて寝息をたてはじめた。

夕陽は引っ張られるようにぐんぐん海に沈み、海面は真っ赤に染まる。頭の上を見上げると、空はもう淡い紺色が覆っている。

「あー、なんか寒くなった。宿に電話すんのすっかり忘れてた。駅のうしろの坂道あがったとこにいい宿があるの。直接いってみよっか」

葵は言い、立ち上がって砂を払う。

「今日は温泉でしっぽりしてさ、明日は浜松までいって鰻《うなぎ》食べて、夜は名古屋で手羽先にビール、なんていいと思わない？　とするとあさっては大阪食い倒れかなあ」

葵の軽い調子に小夜子は声をあげて笑い、じゃあその次は神戸あたり？　と冗談で返そうとして、しかしふと真顔になって葵を見た。私はどこにいこうとしているのだろう？　小夜子は急に疑問を覚える。浜松より名古屋より大阪よりもっと遠くに、もう二度と帰ってこられないとんちんかんな方向に、足を踏み出そうとしているのではないか。楢橋さんといっしょにいたらなんでもできそうな気がすると、さっき自分の口をついて出た言葉が耳の奥で再生される。修二の顔が思い浮かんだ。育児にも家事にも非協力的で、妻の仕事を見下している夫。葵といることで、たしかになんでもできるような気になっていたことに小夜子ははたと気づく。不満ばかりくすぶらせていたってしかたない、わかりあえない夫にさっさと見切りをつけ、あかりを連れて家を出て、それでも暮らしていける、ひとりでうまくやっていける、葵といると、なぜかそんな錯覚を抱いてしまうのだ。こうして熱海についてきたように。

これからどこかの宿にいって一泊するということに、小夜子はうっすらと不安を覚えた。修二への軽い懲《こ》らしめのつもりのただの一泊が、何か決定的な事態に発展するような気がした。今日ここに泊まるより大事なことがあるのではないか。温泉に浸《つ》かっている暇に、愚痴でも不満でも疑問でも、修二と向き合って吐き出さなければならないのではないか。

「楢橋さん」

砂浜と道路を区切るガードレールをまたいでいた葵に、小夜子は声をかけた。葵はふりむく。

「宿、とっていないのなら今日は帰らない？　このへんで何かぱーっとおいしいもの食べて、帰らない？」

「どうして？　宿代なら私が持つから気にしないでよ」

　葵はさらりと言う。慣れたはずの葵のもの言いが、べたりと小夜子の耳にはりついた。

「そうじゃないの、この子、着替えもないし、慣れないところで寝ると、お漏らしとか、夜泣きしちゃうかもしれない」

「平気だよ、そんなの。着替えなら買えばいいじゃん。商店街にも子ども服のお店くらいあるんじゃない？　それに、お漏らしも夜泣きも私はべつに気にしないよ」

　葵は楽しそうに言う。葵と自分はまるきり違うのだと、小夜子はその言葉で思い知る。子ども服の店でも私が払うからと葵は財布を開くのだろうか。お漏らしや夜泣きにあわてる自分を気にしないで見守ってくれると言うのだろうか。

「私もこのまま浜松でも大阪でもいっちゃいたいけど、逃げてたってしかたないしね。それに楢橋さん、あさってはもう仕事じゃない。私たち、背中にのしかかってくる仕事と、また格闘しなきゃ。浜辺でぐずぐずできる高校生じゃないんだもんね」

　小夜子は笑顔を作ってそう言った。そのとき、葵の顔に残っていた笑みが、顔の表面からなだれ落ちるように消えていき、ぽっかりと空洞のような無表情が広がった。

「逃げる？」葵は聞き取れないほどの声でつぶやく。

「私、無断外泊で夫を懲らしめてやろうと思ってたけど、そうやって逃げててもしかたないって思ったの。なんか私、楢橋さんといると、本当に大阪までだって、どこへだっていける気になるのよ、このままだったら、夫を置いて逃げかねないわ」

葵の変化に戸惑い、あわてて小夜子はそうつけ足した。いつもだったら葵は笑うはずだった。失踪妻ってわけ？ そりゃあまずいよね、とかなんとか言って。けれど葵は無表情のまま、

「だれかに何か言われたの？」ちいさい声でそう言った。

「え？」意味が理解できず小夜子は訊き返す。

「私があなたに何をすると思ってるの？」

葵は言って、笑った。けれどそれは、さっきまで笑っていたのとは様子が違うように小夜子には感じられた。嫌みたらしく、投げやりだった。葵が何を言っているのか——何を言いたいのか小夜子にはまったくわからず、泊まろうと言った葵の提案を断ったことに気分を害したのだろうと小夜子は理解した。そんなことで怒るような人だったかと不思議に思えたが、けれどそれ以外に葵の態度の急激な変化は理解しようがない。

この人は、自分と違う立場の人間がいるってことを本当にわからないんだな。小夜子はさらりと思う。みんな違う、違うから出会いに意味があると、大上段に構えて言っていたくせに。家庭の主婦が、連絡も入れず外泊することがどんな意味を持つのか、連絡を入れたとしても、今の状況ならどんな厄介ごとに発展するか、ちらりとでも考えるこ

とができないんだろうか。

小夜子に抱かれていたあかりは、目をさまし周囲を見渡して、ここ、どこ？　と寝ぼけた声を出した。ママ、おうち帰りたい。ねえ、パパは？　小夜子の胸の内を代弁するようにそうつぶやいて、今にも泣き出しそうに小夜子の胸に顔を押しあてる。

「楢橋さんも家庭を持てばわかると思うけど、やっぱり前もって決めておかないといろいろ面倒なことになっちゃうのよね。一泊ぐらいって、私も思うんだけど、この子もいるし」

小夜子は言い、ぐずりだしたあかりの背中をたたく。

「そうだね」葵は言った。投げやりに見えた笑いも消えている。「気安く誘って悪かったわ。私は待ってる人もいない気軽な身だから、もう少し遊んでく。せっかくきたんだし。駅はあっちだから」

葵は言い、コートのポケットから携帯を取りだしあわただしく番号ボタンを押している。

「あの、楢橋さん」

小夜子は話しかけたが、葵は無視し、うつむいて携帯電話に耳をすませている。あかりの泣き声は徐々に大きくなり、土産物屋の白熱灯が照らす暗闇に響き渡る。相手が電話に出たのか、葵はぱっと顔を輝かせた。「ねえ、暇？　突然だけど、熱海こない？

豪華温泉旅行プレゼント。友達と泊まる予定だったんだけど、ドタキャンでね。せっかくきたのに帰るのもつまんないじゃない？　あはは、そうだよ、だめならべつをあたるけど。平気？　じゃあ待ってる。近くにきたら電話してよ、あっ、つまんないもの食べてこないでね、豪華懐石が待ってるんだから。うん、じゃあね」

電話を切った葵は、立ち尽くす小夜子にようやく気がついたように目を合わせた。

「東京まで千八百九十円だけど、ひょっとして電車賃ない？　出そうか、私」

「いらないわ」小夜子は言った。

「私はこのへんぶらぶらして木原くんを待ってる。じゃあね」

葵は小夜子に背を向け、駅とは反対側の、アーケードが続く方向へ駆けだしていった。木原？　今電話した相手は、「ドタキャンした」自分のかわりにここへくるのは、木原だったのか？　遠ざかる葵のうしろ姿を唖然として小夜子は眺めた。

ねえママー、おうち、おうち帰りたーい。あかりが泣き叫んでいる。はいはい、帰ろうねえ。あかりをあやすために出した自分の声が、ちいさくふるえていることに小夜子は気づいた。

構内で売っている弁当を二つ買い、ホームへとあがる。暗いホームに人の姿はほとんどなかった。あかりを下ろしてベンチに座ると、抱っこしてとあかりがぐずる。

「ママ、疲れてるのよ」

小夜子は言った。抱っこして、ねえ抱っこしてえ。あかりは小夜子の膝をよじ登ろうとする。

友達と泊まる予定だったんだけど、ドタキャンでね。気安く誘って悪かったわ。葵の声が耳にこびりついている。電車賃ない？　出そうか、私。

今日一日の感触が、小夜子のなかでゆっくりと変形していく。契約が取れたと伝えにきてくれたのではなく葵は運動会に押しかけてきたと、熱海に連れてきてもらったのではなく葵の気晴らしにつきあわされたのだと、小夜子は思いはじめていた。

膝にのるために脚をばたつかせていたあかりが、わきに置いた弁当箱を蹴り落とした。叱られると思ったらしいあかりは、動きを止め小夜子をのぞきこんでいる。小夜子はコンクリートに落ちた白いビニール袋をぼんやりと眺めた。上り電車がまいりますとアナウンスが流れ、電車の轟音が近づいてくる。小夜子はのろのろと立ち上がり、弁当の入った袋を拾い上げた。ごめんね、ママごめんね。あかりは体を硬くしてくりかえす。

空いた車内のボックス席に座り、小夜子はあかりと弁当を食べた。食べ終えると、あかりは小夜子の膝に頭をのせてふたたび眠った。窓に映る自分の顔を小夜子は眺める。

木原は例の軽い調子でやってきて、葵と落ち合い、温泉宿に泊まるのだろう。みっともない、と小夜子は思った。木原なんかに頼る葵はみっともない。

けれどもっとみっともないのは私だ――財布の心配をしてもらいながら熱海までつい

てきて、木原とバトンタッチして帰る私、葵のあとを追ってなんでもできるような気になっていた私だ。

親に注意されていた子どものころのように、ひっきりなしに爪を噛む自分の顔が、闇を映す窓ガラスのなかにあった。

12

終業式に出たいという葵に、父も母も反対しなかった。ついてくるかと思ったが、母は玄関先で葵を見送っただけだった。

学校にいくと、何もかもが遠かった。クラスメイトたちは葵に近づいてこず、遠くで何か言っている。呼ばれたような気がしてそちらに顔を向けると、彼女たちはぴたりと話をやめて曖昧に笑いかけた。終業式も、ホームルームも、透明の壁の向こうで行われているように葵には思えた。ひょっとしてナナコも学校にきているのではないかと葵は思っていたが、ナナコのクラスの席は空いたままだ。ナナコの居場所を知ってるかと、葵は幾人かの生徒に訊いた。それが私たちもなんにも知らないのよ、と、不思議なやさしさでナナコのクラスメイトたちは答えた。その答えも、透明の分厚い壁の向こうから響いてくるように感じられた。

終業式を終え校門を出ると、曇った冬空の下、個人タクシーが停まっている。

「アオちゃーん」

葵の姿を見つけると、吸っていた煙草を足元に落とし父がにこやかに手をふった。

「伊勢崎いこっか、おかあさんに内緒で。ほら、クリスマス近いだろ、なんでも買ってやるぞ、クリスマスプレゼント。っつっても、あんまり高いもんは遠慮してな」

助手席に座った葵に、父はにこやかに話しかける。いつもより口数が多かった。タクシーは渡良瀬川を渡り、ちいさな商店の並ぶ通りを右折し、国道に入る。分厚い雲をくりぬいたように太陽が出、弱々しい光を雲の隙間から投げている。以前父のタクシーを飾っていた南国ふうのディスプレイはすべてはずされている。ルームミラーにかかったレイや、後部座席の花柄クッションや、シートの背に巻き付いていたプラスチックの蔦《つた》は、あとかたもなく取り去られている。

「こっち引っ越してきたときはさあ、道も何もほーんとにわかんなくてたいへんだったなあ。お客さんに道案内してもらってさ、一度怒られたことあんだ、金出してんのにナビさせるたあどういうこった！　って、そりゃもうえらい剣幕で。でもそんなのはもう一年以上前の話。今はもう、群馬一のドライバーと呼ばれる男よ」

「おとうさん、あのへんな飾り、やめたんだね」

しゃべり続ける父が気の毒になり、葵は言った。

「ああ、あれな、おかあさんがみっともないからやめなさいって。けっこう評判よかったんだけどな。でもな、深夜に乗ってきた酔客はときどき度肝抜かしてたな。狸《たぬき》に化かされたような顔してさ」

父は言って大きく笑った。ひょっとして、週刊誌に何か書かれたことと、飾りを取り払ったことは関係があるのかもしれないと葵は思う。

「でもよかったよ。あれ、悪趣味だったもん」葵は言って、笑ってみた。

「お、そうか？　悪趣味だったか？」父も笑う。

国道沿いには、ファストフード店やファミリーレストランが点在している。窓の外に流れていくそれらを見ていると、

「あっ、アオちゃん昼飯まだか？　終業式だから昼ごはんはないんだったか」

父が真顔で訊いてくる。

「ううん、お腹減ってないや」葵は言った。

「そっか、腹減ったら言いなさいよ、とうさん一等うまいラーメン屋知ってるから」

「さすが群馬一の男」

「群馬一の男は言い過ぎだろ、群馬一のドライバーっつったのよ、とうさんは」

葵と父は顔を見合わせて短く笑った。

窓の外には低い家並みと田んぼがずっと続く。ところどころ、なんの工場か、巨大な建物が家々の合間からつきだしている。だいぶ陽がさしてきて、遠くには山のシルエットが浮かび上がっている。葵は窓の外から視線をはずし、オーバーコートのボタンをいじった。規定のコートにはダブルとシングルの二種類がある。たいていの生徒がシングルだが、高一の秋に、ナナコと相談してダブルに決めたコートだった。

「伊勢崎にはニチイとかデパートとかたくさんあっからさ、なんでもほしいもの言ってよ、ぬいぐるみでも洋服でもさ」

父が言う。ニチイってデパートなの？　と言って、後部座席でナナコが笑うような気がしてふりかえる。もちろんナナコの姿などなく、座るのがためらわれるような白いシートカバーがあるきりだ。

「おとうさん、あたし、ほしいものないや」

葵は前を向きなおして言った。父は葵を見る。週刊誌を買ってきてと言われたときのような、泣きそうな顔をしている。

「クリスマスじゃなくて十九歳の誕生日だったら、ほしいものあるんだけど」

父親をなぐさめるようにあわてて葵は言った。

「なんだ、それ。まだまだじゃないか。何がほしいの？」

「あのね、銀の指輪」

「指輪ァ？　大人っぽいこと言うんだなあ。買ってやる、買ってやる。十九まで待たなくてもニチイで買ってやるよ」安心したように父は陽気な大声で言う。「でもどうせなら銀なんてせこいこと言ってないで、プラチナ買ってやる」

「プラチナって銀より強いの？」

「白金だからな、銀より高い。銀はすぐ黒ずむしな。金もいいけど、アオちゃんの年で金の輪っかなんかはめてたら、やばいやつの情婦みたいだもんな。あのな、おかあさんの結婚指輪、プラチナよ」

結婚指輪を買いにいったいきさつを話し出した父を遮って、葵は言った。

「でもそれね、クリスマスじゃ意味ないの。十九歳の誕生日じゃなきゃ」

「なんで？」

「それは秘密」葵は笑った。「今日はなんにもいらないから、じゃあニチイで下見しよっかな。プラチナの指輪」

「おう、そうしろそうしろ、とうさんはこう見えても趣味がいいの。お客さんとよく話すからね、女のアクセサリもくわしいぞ、おかあさんなんかよりずっと」

父は言い、豪快に笑った。食事どきの即興劇を思い出させるその笑いが消えたとき、葵はそっと言った。

「おとうさん、ごめんね」

父はそれには答えなかった。ただ前を向いてハンドルを動かしていた。

ニチイと商店街の宝飾店を数軒見たあとで、何も買わずにふたたび葵は父のタクシーに乗りこんだ。何も買わなかったことで、なんとなくしょげかえっている様子の父に、ラーメン屋に連れていってくれと葵は頼んだ。家もだいぶ近づいてきた国道沿いのちいさな店に、父は葵を案内した。カウンターがあるきりの、あまり清潔とは言い難い店だった。べたつくカウンターに置かれた叉焼麺《チャーシューメン》を、父と並んで葵はすする。窓から夕陽がさしこんでいる。

「アオちゃん」

ラーメンを半ばほどまで食べたところで、どんぶりのなかを見つめたまま父がうなるように言った。葵は顔を上げる。

「とうさんさ、今日これから仮眠とって夜じゅう走るんだけど」

言葉を切って麺をすすり、スープを飲み、父はまたどんぶりに目を落とす。

「それで明日の昼ごろ帰るんだけど。明日のな、朝、もし、もしな」

どんぶりに向かって、言いにくそうに言葉をとぎれさせる父を葵はじっと凝視する。

「朝、おかあさん六時にパン工場いくだろ、いれかわりにおばあちゃんくることになってっけど、とうさん話つけるから。おかあさんは無理だろうけど、おばあちゃんはなんとかなるかもしれないから」

父はまた言葉を切り、叉焼にかぶりついている。手の甲で口元をぬぐい、聞いている人などだれもいないのに声を落として続けた。

「だからもし起きておばあちゃんがいなかったら、白髭神社においで」

「なんで？」どきどきした。

「あの、そのな、野口さん、連れてくから」

父は言って、どんぶりを両手でつかむと音をたてて汁をすすった。

「えっ……なんで？　どうして？　ナナコはどこにいるの？　なんでおとうさん知ってるの、ナナコがいるところを」心臓のあたりが痛むくらい鼓動が早くなる。

「それは本人に訊きなさい。とうさんはなんにも言えない。こんなこと、おかあさんにばれたらただじゃすまないけど」そこでようやく父は葵を見た。「クリスマスになんにも買ってやれないから」さっきと同じ、泣き出しそうな顔で父は笑った。

麺の絡まった箸を握ったまま、葵は父から目をそらし、油でてかてか光る日に焼けた父の手の甲を見つめた。

見慣れた父のタクシーの向こうにぽつんと立つナナコを見たとき、夢を見ているんじゃないかと葵は思った。近づいて、腕に触れてもまだそう思っていた。そういう夢はもう幾度も見ていたから。

「あはは、アオちん、元気そうだね」

葵より頭ひとつ背の低いナナコは、葵を見上げて笑いかけた。ナナコの白い息が鼻先にかかる。ナナコは、去年示し合わせて買ったダブルのオーバーコートを着ていた。コートの下は制服を着ているらしく、短いコートの裾からプリーツスカートがのぞいている。ジーンズにダッフルコートを着てきた葵は、自分も制服を着てくればよかったと後悔した。

ナナコにあったら訊きたいことがたくさんあった。あののちのこと。現在のこと。今の居場所。引っ越しの理由。連絡方法。たぶん泣くだろうとも思っていた。大泣きして、訊きたいことの半分も訊けないんじゃないかと心配していた。けれど不思議と涙は出てこなかったし、訊きたかったことはすべてどうでもいいことに思えた。

「ナナコは少し痩せたね、ダイエットした?」

気がついたら、まるで昨日まで一緒に話していたような軽口が口をついて出た。

昨日と同じく自家専用のプレートをフロントガラスに貼りつけた父のタクシーに、ふたりで乗りこむ。

「お嬢さんがた、どこへでもいきますぜ」ふざけて父が言い、

「じゃあおじさん、伊豆までお願い」ナナコがそれを受けた。

「横浜でもいいよ」葵も急いでつけくわえる。

「まいったな、お嬢さんたち、お金持ってるようには見えないんだけど」

「失礼ね。どうせ手持ちは千円よ。いけるとこまでいってちょうだい」つんとすましてナナコが言う。暖房のきいた車内に笑い声が満ちる。

もやった朝の空気のなかを、父のタクシーはゆっくりと走りはじめる。早朝の町を歩いている人はあまりいない。マラソンをする男や、犬を連れた老人をタクシーは追い越して走った。ナナコはちらりと葵を見て、照れたように笑った。

「見て、この頭。ださいでしょ。ブス妹にからかわれてんの。プリン女って」てっぺんが黒いショートカットをナナコは指さす。耳のあたりから下がまだ金色だった。

「あたしなんか、見てよこれ。おかあさん白髪染め買ってくるんだもん。かえってババアに見えない？」

真っ黒に染めた自分の頭を葵は指さす。

それきり、話すことがなくなってしまう。葵もナナコも黙りこみ、ときおり顔を見合わせてただにやにやと笑った。沈黙が気まずくて胸のうちをひっくりかえして葵は言葉を捜すが、なんにも思い浮かばない。ナナコはちらちらと腕時計に目を落としていて、急に葵は不安になる。時間制限があるのか、それとも、ひょっとしてナナコはあたしともうしゃべりたくなんかないのではないか、と。

七時を過ぎたことを確認すると、後部座席から身を乗り出しナナコは言った。

「おじさん、あたし川が見たい」

タクシーは細い道をくねくねと曲がり、やがて家がとぎれ視界が開ける。川が広がっていた。葵は息をのんだ。川はくっきりと空を映し、見たことのないような澄んだ青色を呈している。

「すごい」タクシーの窓に額をはりつけ、思わず葵は言った。

「この時間だけ、こんなにきれいな色になるんだよ」隣でささやくようにナナコが言う。

「知らなかった」

「学校にいくのはもう少し遅い時間だからね。これ、八時近くなるともとどおりの色に戻っちゃうの」

「知らなかった」葵はくりかえした。登校時間よりだいぶ早く家を出て、隠れ場所に立ち尽くし息を殺して川を見つめている、小学生の、中学生の、そして数カ月前までのナナコの姿が、実際に見た記憶のように、鮮やかな映像になって葵の目に浮かんだ。時計を見ていたのは、空を映すこの川を見せたかったからなのだと葵は気づいた。

「おじさん、車降りていい？　逃げないから」

ナナコに言われ、父は黙って後部座席のドアを開けた。

「あたしね、転校することになったよ」

橋の欄干《らんかん》に葵と並んで川を見下ろし、しずかな声でナナコは言う。

「あのせい？」葵は訊いた。

「ううん、違うんだ。タイミングいいからみんなあのせいだと思うだろうけど、じつは関係ないの。だって一カ月以上子ども帰ってこないのに捜索願いも出さない親が、あんなことくらいで動くわけないじゃん。そうじゃなくて、家の事情でいろいろあって、親戚んちに引っ越さなきゃなんなくなったの」

川面をすべるように雲が移動する。ナナコが吐き出す白い息は冷たい空気に溶けていく。

「親戚って、遠いの？」

「遠いっていったってうちは全部生粋《きっすい》の群馬人だからさ。遠くても水上か、下仁田でしょ。でもあと一年もすれば、ひとり暮らしできるけどね。今はちょっと無理だから」

「住所、今わかる？」水上や下仁田がどこにあるのか、葵には想像もつかない。

「それが、今はわかんないの。確定したら手紙書く」

川に目を落としたままナナコはつぶやいた。父親は、タクシーのわきに葵たちに背を向けて立ち、空を仰いで煙草を吹かしている。

「絶対だよ？」葵は言った。

「あたしが約束破ったことある？」

「会えるよね」

「当たり前じゃん、宇宙に引っ越すわけじゃあるまいし」ナナコは言い、しばらく無言で川を見つめていたが、「意外に人間って頑丈なんだね」葵を見、ちいさく笑った。

ナナコがなんのことを言っているのかわからず黙っていると、

「あたしたち、ちょっとまぬけだったよね」

ナナコはつけ加えてまた川に視線を戻した。あのことについて言っているのだと葵は気づく。音もなく川は流れていく。真っ青な色はひとときも崩れない。磯子のマンションの屋上で、夕闇に包まれていく町を今もまだ見下ろしている錯覚を葵は抱く。

「どこへもいけなかった」

ぽつりとナナコが言った。

「だけどあたしたち」葵は言った。「どこへいこうとしてたんだろう」

ナナコはそれには答えなかった。葵はほかの話題を捜した。

「ね、ナナコ、十九歳の誕生日のことだけど」

ナナコは葵を見上げる。

「あのね、銀よりプラチナが強いんだって。だからあたし、ナナコにプラチナのリングをプレゼントする。そうすれば、銀よりずっとしあわせになれる」そう口にすると、なぜだか急に泣き出したくなった。「どうせナナコには彼氏なんかできないだろうから」あわてて茶化した。

「じゃあ、あたしもアオちんにプラチナのリングを贈ることにする」

ナナコは笑わずに、葵の目を見つめて言った。ナナコと葵は、ふたたび黙りこんで欄干に肘をつき、ゆったりと流れる川を見つめた。

「ねえ、川が空みたいだと思わない？　足元に空が流れている感じがして、ここでずっと川を見下ろしていると、空に立ってるみたいな、自分がどこにいるのかわからなくなるような感じ、してくるでしょ」

ナナコが言い、葵はどこか必死になって川を凝視する。ナナコの言う「感じ」を、ぴったり同じように味わうために。

「ほんとだね」

葵は言った。川幅の空はするすると流れ、足元が数センチ浮き上がったような、不思議な浮遊感がたしかにあった。

父のもとに戻ると、足元には六本の吸い殻が転がっている。葵とナナコは無言でタクシーに乗りこんだ。さーて、もうひとっ走りするか、陽気に言いながら父は運転席に乗りこみ、エンジンをかける。

車は市内をひたすらぐるぐるとまわった。人通りの多くなった駅前をすぎ、しんと静まりかえった他校をすぎ、クリスマスの飾りつけがされた商店街をすぎ、ファストフード店の点在する国道を走り、もういつもの色に戻ってしまった川のほとりを走る。市内から出ないと父は決めているらしかった。窓の外はすぐ、さっき見た景色へと戻る。騒がしい駅前、シャッターの閉められた商店街、埃っぽい国道、そして川。どこかを目指し、どこへもいけず、またここに戻ってきた自分のようだと葵は思う。

葵もナナコも、何もしゃべらなかった。シートに投げ出した葵の手に、ふとナナコの手が触れる。葵は何も言わずそっとその手を握った。ナナコもやわらかく握りかえしてくる。手をつないだまま、それぞれの窓に顔を向け、葵とナナコは流れ続ける町をじっと眺める。夏の制服を着た自分たちが、窓の外に見えるような気がした。笑い転げ、たがいをこづきあい、顔を近づけて熱心に話すふたりの高校生が。はせがわのケーキセット。元日の空。ふくふく亭のお好み焼き。ビリー・ジョエル。湖池屋のポテトチップス。夏の午後三時、風がぴたりとやんだ瞬間。まるでこの世界を好きなものだけで埋め尽くすように、彼女たちは脈絡なく気に入ったものを言い合っている。

九時を少しすぎて、タクシーは駅前ロータリーにとまった。

「おじさん、今日はありがと」ナナコは言ってドアに手をかける。「メーターまわしてたらすごい金額だったよね。出世払いで返すからね」

「おう、期待しないで待ってるよ」父はタクシーを降りてナナコ側のドアを開いた。

「またね」

ナナコは葵に笑いかけると、するりとタクシーを降りていった。葵が降りるのも待たず、改札に走っていく。途中で一度立ち止まり、くるりとふりかえって車のなかの葵に大きく手をふった。オーバーコートを着たちいさなナナコの姿は、冬の陽射しにちかちかと輝いていた。

葵だけを乗せてタクシーがふたたび走り出す。意志や感情とは関係なく、どこかのスイッチを押してしまったように、いきなり葵の両目から水滴がこぼれ落ちた。父に気づかれないよう、不自然な格好に体を折り曲げ、泣いている顔がルームミラーに映らないようにした。涙はとまらず、次から次へと頬をつたい、さっきナナコとつないでいた手にほとほとと落ちる。てのひらにはぽっかりとした空白が残っていた。声を出さないように葵は片手で口を押さえた。鼻水が流れ出て口に入る。思わずすすりあげると、父が肩越しに葵をふりかえる。膝に顔をつっぷして葵は涙を流し続けた。ばれてしまったのならかまわない、葵は声をあげて泣いた。吠《ほ》えるような自分の声が耳に届く。

「アオちゃん、もう少ししたらいつでも会えるよ」父はやさしい口調で言った。「引っ越しちゃうらしいけど、外国いくわけじゃないんだろ？　外国だって今は簡単にいけるんだから。な？　少しのあいだはおかあさんや先生たちがうるさいから無理かもしれないけど、手紙書けばいいんだし、ほんの少し我慢すればすぐに会えるって。な？」

父は同じことをくりかえした。

おとうさん、なんであたしたちはなんにも選ぶことができないんだろう。父の言葉にうなずきながら葵は心のなかで叫ぶように言った。何かを選んだつもりになっても、ただ空《くう》をつかんでいるだけ。自分の思う方向に、自分の足を踏み出すこともできない。ねえおとうさん。もしどこかでナナコがひどく傷ついて泣いていたら、あたしには何ができる？　駆けつけてやることも、懐中電灯で合図を送ることもできないじゃないか。なんのためにあたしたちは大人になるの？　大人になれば自分で何かを選べるようになるの？　大切だと思う人を失うことなく、いきたいと思う方向に、まっすぐ足を踏み出せるの？

「アオちゃん、おばあちゃんにあったらちゃんとお礼言いなさいよ、ね、わかった？」

やがて道の先に家が見えてきて、父がまじめな声で言った。蛇口の壊れた水道のように涙と鼻水を顎からしたたらせ、

「はい」

やっとのことで葵は返事を押し出した。

13

「あーあ、ほんっとに疲れた」

新宿に向かう小田急線で、ぶらさがるように両手で吊革につかまった岩淵さんは、さっきからずっと文句を言っている。

「ねえ、こういうのって契約違反になんないのかな？　あたし、内勤ってことで採用されたんだけどな。なんでいきなりお掃除おばさんになんなきゃいけないの？　せめて車は出してほしいよね。木原くんの車でいくときもあるんでしょ？　なんであたしのときは電車なのかなあ、不公平だよ」

網棚にのせたバケツ入りのバッグが落ちてこないかちらちら眺めながら、小夜子は適当に相づちを打っていた。

「しかも今日のおばあさんさあ、買いものまでいかせて。米とか土とか重いものばっかり。そういうのって規定業務に入ってないでしょ？　便利屋じゃないんだから」

小夜子が見積もりをした二件を皮切りに、十月になってからいくつか立て続けに依頼がきた。依頼された箇所に応じた人数で出かけていく。ワンルームマンションや水まわりだけなら小夜子ひとりで充分だったが、2LDK以上になると二人か三人必要だった。はじめたころと同じように秩序立っておらず、一件一件を遮二無二こなしていくような有様だったが、今のところクレームもなく問題も持ち上がらず、かろうじて形になりつつある。

小夜子にとって、いっしょに組まされて一番厄介なのが岩淵さんだった。文句ばかり並べ立て、その上掃除がきちんとできない。彼女が掃除したあとを、猛スピードでやりなおさなければならないこともたびたびあった。部屋の汚れ具合によっては平気で憮然《ぶぜん》とした態度をとる。接客態度についてうるさいくらい言っていた中里典子の気持ちが、今なら小夜子はよくわかる。

新宿で乗り換え、大久保駅に降り立つと、改札口に木原がいた。待ち合わせをしていたらしく、岩淵さんは手をふって近づいていく。

「ねえ、ボスもちょっと休んでいかない？　疲れたし、甘いもんでも食べてこうよ」

文句を言い続けていたのとは打ってかわって晴れやかな笑顔で、岩淵さんは小夜子をふりかえる。

ジョナサンの窓際の席に座り、木原はコーヒーを、岩淵さんはケーキセットを頼んだ。二人の向かいで小夜子はカフェオレを注文した。岩淵さんは席に着くやいなや、ふたたび仕事の愚痴を木原に訴えている。小夜子は木原の横顔をちらちらと盗み見た。

「たしかにね、人数不足ってことはあるかもしれないけれど、今のやりかたはあまり機能的じゃないよね。仕事はそんなにこないだろうって葵さんはタカをくっていたみたいだけど、こうして実際増えてきてるんだから、やっぱり掃除部隊と旅行チームを線引きするべきだと思うな。というより、このまま掃除にばかりかまけて旅行業務が減っていくのに任せてたら、プラプラってただの掃除屋になるもんな」

木原は落ち着いた口調で言い、岩淵さんはそのいちいちに声をあげて相づちを打つ。日暮れがずいぶん早まって、まだ五時前なのにもう町は橙色に染まりはじめている。

あののち、木原が熱海まできたのかどうか、二人はどうしたのか、小夜子はいっさい知らなかったし知ろうとも思わなかった。週が明けてから、葵は何ごともなかったかのように小夜子に接した。時間が早ければ気軽にお茶に誘い、月一の飲み会に誘い、断ってもさして気にとめていない様子だった。小夜子自身は、意識して葵とのあいだに線引きをしていた。葵と近しくなりたいと、熱海にいくまではずっと願っていた。けれどあれ以来、葵にとって親しさを意味するのは、連れだってトイレにいく女子高生みたいなものではないかと小夜子は思うようになった。自分はいきたくないからと一回でも断れば成り立たない関係。

小夜子は得意げにしゃべる木原をちらちらと盗み見た。自分を保育園まで送ってくれた木原は、岩淵さんの話もこうして聞きにやってくるのか。

「だいたいさ、きれいごとが多いのよね」口をすぼめてケーキを食べながら岩淵さんは言う。「停滞してるんだからもっとなりふりかまわずに観光振興の話なんかも引き受けるべきだと思うわけよ、それをさあ、モチベーションがないとかなんとか、なんで掃除にモチベーションがあって地方都市にないのよね、ゴキブリに辟易して現場には出てこないくせに」

岩淵さんはふと言葉を切り、窓の外に大きく手をふる。顔を向けると、近づいてくる関根美佐緒の姿があった。小走りに店内に入ってきた関根美佐緒は小夜子の隣に腰を下ろし、

「あーもうやんなっちゃう。モーニング娘。にあゆにスマップに嵐。T3にチャーリーズエンジェルに朝の連続テレビドラマ。こんなことしてなんになるっていうんだろ」

息を切らして言い募り、メニュウをばさばさ広げてソーダフロートを頼んだ。

「ガーデンの日本人スタッフに送るやつ？　買い出しいかされたんだ。ほーんと、友達

ごっこなら自分でフォローしてくれって思うよねえ」

岩淵さんが言い、わけがわからず小夜子は関根美佐緒を凝視した。

「そういう思いやりが大切だとか気持ちがどうとか言うけどさ、ときどきついていけないときあるよね、ボランティアじゃあるまいし、仕事なんだからさあ」そこで言葉を切り、テーブルに顔を突き出し声をひそめて関根美佐緒は言う。「今日は渋谷のカルチャーセンター」

「ああ、講師？　ご大層なこった。でもあの人に何が教えられんの？　めちゃくちゃじゃない、実際」

二人が話しているのが葵のことだとわかるまでしばらくかかった。

「でもまあ、葵さんは魅力的な人だと思うし、講師とか講演とかって向いてるとは思うよ。実際そのギャラは会社に入るんだし、それなかったら経営難、もっと深刻かもしれないし」

木原が葵をかばうようなことを言うと、岩淵さんと関根美佐緒はスイッチが入ったみたいに夢中で葵のやりかたをけなしはじめた。意外な思いで小夜子はそれを聞いていた。岩淵さんが文句たれなのは知っていたけれど、親しそうに見えた関根美佐緒まで葵をよく思っていないらしいのが意外だった。さらに二人の口ぶりが愚痴や文句を超えていることにはもっと驚いた。小夜子はカフェオレに口をつけるのも忘れ、テーブルの上でめまぐるしく展開する葵バッシングに耳を傾けていた。

突然掃除業務をはじめたことが彼女たちの不満に火をつけたようだと話の断片から小夜子は理解する。すべてがブルドーザーのごとくむちゃくちゃ、方法論も何もなく、ただその日任せに右から左へと流しているだけ、お金儲けという言葉を奇妙な潔癖さで嫌い、青臭い理想論をかかげ、社員を養っているという自覚がとことんなく、オトモダチ主義が過ぎる――。斜め向かいにある八百屋の店先を見るともなく見ながら、小夜子はそれらの話に耳をすませていた。女性起業家という立場で、最近葵が講師を引き受けているのは知っている。以前だったら、彼女たちはそういう華やかさを羨《うらや》んでいるのだろうととりあわず、さっさと引き上げていただろうが、小夜子はその場から立ち去ることができずにいた。残り少ない冷えたカフェオレをちびちび飲みながら、もっと聞きたいとすら思っていた。

話を聞いているうち、木原の態度に一定の法則があることに小夜子は気づいた。岩淵さんや関根美佐緒が葵をけなすと、彼は必ず葵を持ち上げるようなことを言う。すると二人は躍起になって悪口を言い合う。プライベートな部分に及ぶ葵個人への揶揄《やゆ》など、洒落にならないくらい会話がヒートアップしてくると、わかるわかるとうなずきながら話を元に戻し、彼女たちに仕事の不満を吐き出させる。意識してそうしているのか、それとも彼も気づかずにそうしているのかはわからないが、相手に自己嫌悪や内省をさせず胸の内を暴露させる特技が、どうやら木原には備わっているように小夜子には思えた。

「ねえ、ボスはおとなしく言うこと聞いてるけど、へんなところきちゃったなあーって思うでしょ？　ふつうとちがうもんね、だいたい会社って感じじゃないし」

「でもボスはいいよ、べつにあそこがだめになったって、掃除がトラブル起こして頓挫したって、帰るところがあるもんね。おうちもあるし、ダンナもいるし」

「トラブルって……」小夜子は思わず口を挟み、笑ってみせた。「トラブルを起こさないようにがんばってるんじゃない」

「いや、それ違うとぼくは思うんすよ」木原がいつになくまじめな口調で割って入った。「トラブルを起こさないように、じゃなくて、起きたときの対処法がね、特に掃除のほうは、まったくないに等しいんです。何か急用ができてボスがドタキャンした場合に、彼女たちが本来の仕事をいったん休んでかり出される状況なんですよね。ボスは私たちとは違う、って葵さんは言うんです。今までのプラプラ面子は子どももいない人ばかりなんで、極端な話、何かトラブれば深夜まで残業することもできる。けどボスはそうはいかないし、子どもが熱を出したりする可能性だってある。そういうときのフォローをしっかりしないといけないって、葵さん本人が言ってるんだけど」

「ドタキャンなんか、してないけどな」

木原の話を遮って小夜子は言った。笑顔を作ったつもりだったが、顔がひきつっているのがわかる。ボスは私たちと違う？　ドタキャンのフォロー？　なぜそんなことを言われなければならないのか、小夜子にはわからなかった。

「今まではそうです。この先の可能性の話です。だけど結局、あの人そういうこと言いながら、自分まで運動会に参加しちゃうような人なわけじゃないですか。あれは土曜日でしたけど、平日だってあの人いきかねないからな」

小夜子は窓の外に目をそらした。木原と葵があののち、運動会のことを話題にしたというだけで気分が悪かった。

「運動会って何？」

「楢橋さんは結局私たちのこと信じてないと思う」

関根美佐緒と岩淵さんが同時に声を出し、

「信じてないんじゃなくて、葵さんは信じすぎてるんだと思うよ」

木原がまた葵をかばう。運動会のことを話題にしたくなかった小夜子は、何気なく口を挟んだ。

「そういえば、ずっと前、楢橋さんが新聞に載ったことがあるとかなんとか、岩淵さん言ってたけど、あれってなんだったの？」

テーブルの上の空気が微妙に変わったのを小夜子は感じた。岩淵さんと関根美佐緒は目配せをし、含み笑いをする。

「たいした話じゃないのよ」岩淵さんがもったいぶって言い、「ひょっとしてボスも誘われた？　旅行いこうとか、家においでとか」関根美佐緒が訊く。

「え……」

「楢橋さんってそういう趣味あんだよね」

「趣味なんて言ったら失礼でしょ、べつにどうこうじゃないんだけど、あの人女とつるむのが好きなんだよね」

「それは言い過ぎだって。葵さんの場合、距離の取り方が微妙に違うってだけだと思うけど」木原が割って入り、「葵さんて、なんか天然系って感じですけど、わりと暗い過去あるんですよ」訳知り顔で小夜子を見つめて言った。小夜子は目の前に座る木原の口元をぼんやり見て、続きが語られるのをじっと待った。

まだ話しこんでいる三人を置いて、小夜子は先に事務所に戻った。洋室では山口さんがだれかと電話で話しこみ、和室では葵が書類に目を落としていた。ダイニングで日誌を広げた小夜子に気がつくと、

「あ、ボス、お帰りー」葵は明るく声をかけた。「冷蔵庫にシュークリームがあるよー」

小夜子は軽く会釈だけして日誌を書き続け、書き終えると荷物をまとめて立ち上がっ

た。

「お先に失礼します」

玄関へと向かった小夜子のところへ、葵は小走りに近づいてくる。

「ねえねえ、近所にラーメン屋オープンしたんだって、知ってた？」

「ごめん、ちょっと急ぐから、お先に」

葵の言葉を遮って小夜子は頭を下げ、そのまま玄関を出た。逃げるように階段を降りる。日はもうすっかり傾いて、空の半分が淡い紺色に染まっている。階段を降りきってからさらに速度を上げて小夜子は走った。駅構内へと走りこみ、改札を抜け階段を駆け上がる。タイミングよくやってきた電車にするりと体をすべりこませ、吊革につかまって大きく肩で息をした。

木原がどこか得意げに話した事件なら、小夜子はよく知っていたし、今だって鮮明に思い出すことができた。とはいえ、とくべつ大きな事件だったわけではなく、社会現象になったわけでもない。森永の毒入り菓子事件や、高校生のリンチ殺人事件のほうがよっぽど世間には知れ渡っていた。だから、ほんのいっとき週刊誌やゴシップ誌をにぎわせてのち忘れ去られた、女子高生の心中未遂事件について小夜子が覚えているのはわけがあった。

その夏、やはり女子校に通う高校生だった小夜子は、いっぺんに友人を失ったのだった。中高一貫校に通っていた小夜子は、さほど目立つ生徒ではなかったが、中等部からの友人は幾人もいた。属するグループがあり、そのグループで放課後は繁華街に出向いたし、夜はだれかしらと電話をし合っていた。グループから弾き出された原因はじつにささいなことだった。進路の違いである。小夜子のグループの全員が、受験はしない、推薦で短大か専門学校に進むと早々と答えを出したのだが、小夜子は受験してでも都内の大学に進学したかった。夏休み、集中講座に通っていた小夜子に、遊ぶ誘いの電話が幾度かきたが、すべて断った。そして新学期、登校してみると、グループの女の子たちは口をきいてくれなくなっていた。お昼休みになると集団でどこかへ消え、放課後も小夜子に声をかけることなく教室からいなくなった。電話をかけても居留守をつかわれ、話しかけても無視された。

わけがわからなかった。誘いを断ったのはたった数回である。自分たちが親しくしてきた約五年間に比べたら、どうということはないじゃないかと小夜子は思った。あるいは他に何か原因があるのかもしれない、自分の性格だの言動だのが前々から疎んじられていて、夏休みのできごとはそのきっかけに過ぎなかったのではないか。そう考えてみればそんなようにも思えた。そして小夜子はじわじわと恐怖を感じはじめた。疎んじられていた部分はどんなところだろう。あたしの何がいけなかったのだろう。気づかないうちにだれを傷つけていたんだろう。それは、突然友達を失う罰にふさわしいほど重大な過ちなのか。

中学一年からグループごとに行動していたから、高校二年になって別のグループに入ることはできなかった。小夜子は二学期から単独行動をする羽目になった。そうなってみると、学校はおそろしいくらい静かだった。クラスメイトたちの騒ぎも、下級生たちの笑い声も、みな隣家のブラウン管から聞こえてくるように感じられた。

たまたまワイドショーで流れた女子高生心中未遂事件のニュースに、自分でも驚くくらい小夜子は興味を持った。わざわざ図書館までいって関連記事を捜し、夢中で読み耽《ふけ》った。

二人の女子高生が、駆け落ち目的でともにアルバイトをし、繁華街をうろついて暮らしたあげく、以前ひとりが住んでいたマンションから飛び降りた。雑誌には、二人が同性愛者であると書かれていたが、そんなことは小夜子にはどうでもよかった。小夜子が興味を覚えたのは二人の結びつきだった。自分と同じように女子校に通う彼女たちは、どのように相手と親しくなり、どのような会話をして、どのように逃亡を決めたのか。逃亡の日々、彼女たちが相手に失望し、ある日突然友達でなくなることはなかったのか。

三年にあがってもあいかわらず小夜子はグループに戻れないままだったが、予備校に新しい友達ができた。共学校に通う彼女とは、希望校が同じだったことがきっかけで親しくなって、待ち合わせをしていっしょに予備校に通うようになった。予備校がない日は、やはり待ち合わせて図書館へいったり、海へいったりした。ひとけのない秋の浜辺に腰掛けて、いくらでも言葉を交わすことができた。彼女といると、去年あれほど小夜子を悩ませたグループが、ひどく幼稚に思えた。意味もなくつるんで、だれかをスケープゴートにするくらいしか楽しみのない退屈な集団だと思った。学校の静けさは、もはや小夜子にはこわくなかった。自分には何か重大な欠点があるかもしれないなどということも忘れかけていた。ずっと知りたかったこと——心中未遂事件を起こした二人の女子高生の関係は、こんなふうではなかったかと、彼女と話していて思うことがあった。

結局、彼女とは別の大学に進学した。小夜子は毎晩のように彼女に電話したがいつも留守で、母親に伝言を残しても彼女からかかってくることはなく、決めてあった約束もみな反故《ほご》にされた。電話が彼女とつながったのは、その年の夏になってからだった。全然電話をくれないじゃないと小夜子がなじると、「忙しいんだけど」困ったように彼女は言った。「ひょっとしてまだ友達できないの？」声を潜めるようにして訊いた。

このとき小夜子が思いだしたのは、彼女と過ごした時間ではなくて、雑誌で読んだ例のゴシップ記事だった。生き残った彼女たちはどうしたんだろう。大学に進んで、手をつないで飛び降りたことなんかすっぱり忘れ、そんな記憶を迷惑にすら思って、今このときを過ごしているのか。それとも、まだ手をつないでいるのか。裏切られたり嫌われたりすることを知らずにいるのか。

時が流れれば忘れてしまうようなことではあった。実際すっかり忘れていた。お菓子売場へいこうとせがむあかりの手を右手に握りしめ、左手で総菜のパックを吟味しながら、小夜子はあのときの息苦しい気分を生々しく思い出していた。なんであんなことで世界がひっくり返ったように呆然としていたんだろうと思うかたわらで、今の自分に至る選択のすべてがあのとき決定されたような気持ちにもなる。

「楢橋さんだったなんて」

何をどう思っていいのかわからず、小夜子はつぶやいた。記憶にある時期と場所と彼女たちの年齢を、木原が訝《いぶか》しそうな顔をするほど確認したからたぶん間違いはない。あの女子高生は、今こんなにも近くにいる。

「何、ママ、なんて言ったの？」

あかりが訊く。

「ううん、なんでもない。あとは牛乳買って、今日はおしまーい」

人でごった返す閉店間際のスーパーを歩きながら、小夜子はあかりに笑いかけた。

十代の終わりに幾度も思った、見知らぬ二人の女の子のことを小夜子は考える。だれかと親しくなるということがどういうことなのか、小夜子はあのとき焦がれるようにして知りたかった。けれど、実際は違ったのではないか。そういえばあのころ読んだ雑誌には、ひとりが無理矢理もうひとりを連れまわしていたようなことが書かれていたのではなかったか。高校生のころから葵は変わっていないんだと、小夜子は新たな事実を知ったような気になる。連れまわされていたもうひとりは、自分のような子だったのではないか。葵のペースにまきこまれ、断ることができず、引き返せなくてあんなことになった。それでもひょっとしたら、その子は高校を出たあと葵に電話をしたかもしれない。忙しいんだけど何か用？　葵はけろりと言ったのではないか。小夜子の想像のなかで、葵の親友は、制服を着た自分になっている。

会計を終え、袋に買ったものを詰め、あかりの手を引いてスーパーマーケットを出る。早くも店内に入っていた暖房と人いきれのせいで汗ばんでいた。今日習ったという歌をうたうあかりと手をつなぎ、すっかり日の暮れた歩道を歩く。空気は冷たいのに汗はなかなか引かなかった。ひっきりなしに話しかけてくるあかりに生返事を返す小夜子の目に、泊まっていこうと熱海で笑いかけた葵の顔が幾度も幾度も浮かんでは消える。

その日掃除の依頼はなかった。チラシ配りをするつもりで、いつもと同じ時間に小夜子は事務所の戸を開けた。いつもは電話の音と話し声で騒がしい事務所がしんとしている。「社長室」は襖が閉められている。洋室にはだれもいない。初冬の、橙がかった朝の光が窓際の観葉植物を照らしている。

洋室にいき、今後の依頼スケジュールを確認し、トートバッグにチラシを詰めはじめると、がらりと襖が開き、葵があらわれた。泊まっていて今起きたばかりなのだろう、トレーナーにジャージ姿の葵はむくんだ顔をしていた。

「ちょうどよかった。ボスに話があるの。ちょっといい？」

葵に呼ばれ、小夜子はダイニングテーブルについた。葵はのそのそと台所へいき、コーヒーメーカーをセットしている。こぽこぽと音をたてはじめるコーヒーメーカーを、まだ眠気の残るようなぼんやりした顔で葵は見ている。

小夜子の前にコーヒーカップを置き、マグカップを手に葵は正面に座る。

「あのねえ、掃除の仕事を全面的に中里典ちゃんにまかせちゃおうと思うの」

化粧気のない白い顔で、マグカップをのぞきこみながら葵はぼそりと言った。

「それで、ボスに、こっちの仕事やってほしいんだ。こっちの、って旅行関係のほうの」

言われていることの意味がのみこめず、小夜子は葵をじっと見た。葵はそれきり何も言わず、音をたててコーヒーをすすった。

「どういうこと？」

葵が何も言わないので小夜子が口を開いた。

「反乱が起きちゃってさ。反乱っていうか」葵はちらりと小夜子を見て、いつものように笑った。

「なーんか、三人から同時に辞表受け取っちゃって。すぐに新しい人捜せばいいんだけど」葵はそこで言葉を切り、「新しい人捜せばいいんだけど」つぶやくようにくりかえしてマグカップをのぞきこみ、「ま、見つかったとしてもすぐさま動いてもらうことは無理だよね。だから少しのあいだ、整理つくまで、こっちやってほしいんだ。掃除はちょっとお休みして」

「三人って……」

「岩淵、関根、あと、チラシ作ってくれたバイトの子。今月いっぱいまでみんないるんだけど、有休がどうの、保険がどうのってやいやい言ってくれちゃって。一流企業じゃあるまいし、完璧な対応なんか期待すんなってのよね」

「掃除を休むって……でも依頼はまだ……」

混乱したまま小夜子はつぶやいた。

「だからね、今とりあえず受けている依頼は、みんな中里さんとこに委託しちゃって、これからくる依頼もとりあえず全部そっちにまわして、宣伝はもうしない。山口さんがね、来年の三月にダンナさんの都合でカナダいっちゃうの。これはみんなとは別で、前からわかってたことなのね、だから経理の引き継ぎを、ここんとこ関根さんにずっとやってたんだけど、その矢先だからまいっちゃうよね。わかってたら関根なんかに引き継ぎしなかったよ。だからできればボスにさ、経理のこともお願いできたらって思ったたんだけど」

葵の話を聞きながら、木原のことがふいに頭に浮かんだ。木原が一斉退社を仕組んだような気がした。話を聞き不満を引き出し、共感し同情し、葵の欠点をあげてみたりうち消されるのを待つように褒めてみたり、そうしながら岩淵さんたち三人を結束させていたのではないか。でも、だとしたらなんのために。木原は葵の取り巻きではなかったのか。

「木原さんはどうなってるの？」思い浮かんだそのままを小夜子は口にした。

葵はマグカップから顔を上げず、自嘲するようにちいさく笑う。

「木原ねえ。あの子べつにアルバイトでも社員でもなかったから、やめるもやめないもないんだけど、もうこないんじゃないかな」

「だって」熱海で一泊する仲じゃないかと、喉まで出かかった言葉を小夜子は飲みこむ。

「むかつく男だよねえ。こんな弱小会社、おいしいことなんかなんにもないのに、鼻をくんくんさせて嗅ぎまわって、かきまわしてくれちゃってさ」

「でもそれで、木原さんにどんなメリットがあるんですか」

「さあね、連れてった子と新しく会社でも作るんじゃないの。手伝ってくれるふりして、うちのコンサルタントとか税理士とかともちゃっかり仲良くなってたしね。私のやり方を見て、こんなめちゃくちゃでも会社できるんだって自信つけたのかもしんないけど、旅行なんか全然愛してない馬鹿ばっかじゃないの。金儲けが大好きらしいけど、それだけじゃあたぶん長続きしないでしょうね。私が思うに、やめた三人、絶対木原と寝てると思うな。そればれて修羅場になるほうが先かもね」

突然切れ目なく話し出した葵から小夜子は目をそらした。社員が突然やめることに、想像以上に傷ついたのだろうが、そんなふうに悪し様に人をののしる葵を小夜子は見たことがなかった。見たくもなかった。

なんで働こうとなんか思ったんだっけ。唐突に気持ちが萎えていくのを小夜子は感じた。どうしてまた人と関わらざるを得ない場所に出ようとなんかしたんだっけ。あの日このドアを開けなければ、なんにも知らずにすんだのに。葵のことも、ここで起きるちいさな諍いのことも。高校時代のことを思い出すこともなく、修二に不満を覚えることもなかっただろう。

「でも楢橋さん、木原さんと仲良かったじゃない」

なおも話し続けようとする葵を遮って小夜子は言った。

「うん」葵はすんなりと認めた。煙草に火をつけ、煙を吐き出して笑う。「仕事でいやなことあって、わかるわかる、なんて話聞いてもらえると、なんかうれしくなっちゃってさ。ボスにはダンナがいるからわかんないだろうけど、仕事のことって話せる人意外に少ないんだよね」

かちんときた。仕事をはじめてからずっと修二と揉《も》めていた。泣くほどのことかと思いながらも泣いた夜だってあった。なんにもわかってないくせに、なんでこの人はこうして決めつけて話すのか。けれど小夜子は何も言わなかった。葵のいれたコーヒーを、鼻白んだ気持ちで眺める。

「話、それちゃった。どうかなあ？　やってもらえる？」

葵は身を乗り出して小夜子を見つめる。最初にここで会ったときのことを小夜子は思いだしていた。えっ、私たち同じ大学出てる。小夜子の履歴書に顔を近づけそう言った葵を思い出す。私たち、銀杏並木や学食ですれ違ってたかもね、と学生のように笑った葵。

「ちょっと、わからないな。突然すぎて」ほとんど口のなかで小夜子は言った。

知ってるはずじゃなかったのか。たかが掃除と軽んじられても、修二にわかってもらえなくても、ゼロから加わって作り上げた今の仕事に、どれだけ真剣に取り組んでいたか、あなたはわかっていたはずだったじゃないか。それも小夜子は胸の内だけでつぶやいた。

「それはそうだよね。突然だもんね。でも、残業を無理に強《し》いたりはしないし、人数が少ないぶん融通がきくと思うのね。なんだったら子連れ出勤でもいいからさ。あ、そうだ、ボス、ファミリーサポートセンターとかって知ってる？　私、なんか役立てないかなあと思って調べてみたんだけど、ほらボス、いつもお迎えの時間気にしてたいへんそうじゃない？　そういうの、調べたり捜したりするのなら私全面的に協力しちゃうし」

自分の顔がさっと赤くなるのを小夜子は感じた。子育てを終えた地域の家庭が、保育園の送り迎えをしてくれたり、時間外に子どもを預かってくれるシステムならとうの昔に知っている。登録しておけば便利だろうと思ったことが幾度もある。そうしなかったのは、他人と関わり合うことが煩わしいからだった。起きるかもしれないトラブルや煩雑さに、うしろ向きになっていたせいだった。それを言い当てられたような気がした。

そんなことは頼んでいないと言い返そうとして、けれど小夜子は何も言わず、テーブルの下に組んだ自分の手を見つめていた。

「でもさ、まあ、掃除はまだ早かったかもなって反省もしてるんだ。今の依頼を中里典ちゃんにお願いするのは、放り出すようで悔しいけど、でも典ちゃんとこにお願いしたほうがお客さんは安心かもしれないって考えようと思うんだ」

葵は言い、立ち上がった。小夜子は顔を上げることができなかった。典ちゃんにお願いしたほうが安心？　私に任せるよりも中里さんのほうが安心？　そりゃそうだろう、けれどそんなことだけは言われたくなかった。鼻の奥がつんとして、小夜子はあわてて舌を噛んだ。そうしないと声をあげて泣いてしまいそうだった。

「さーて、歯でも磨いて仕事すっか」

葵は立ち上がり、小夜子に背を向けた。涙の気配がすっかり消えてから、小夜子は顔を上げた。

「楢橋さん」

洗面所にいる葵に声をかける。んー、なあにー？　のんきな声が返ってくる。小夜子は大きく息を吸い、思いきって訊いた。

「あのあと、どうなったの」

「えー、なんのあとー？」

歯ブラシを口につっこんだまま、葵が洗面所から顔を出す。

「自殺未遂のあと。結局、どうなったの」

葵を見据え小夜子は訊いた。仕返しのつもりだった。サポートセンターをなぜ利用しないのかと、中里典子のほうが客は安心だと、平然と言い放たれたことに対する精一杯の抵抗だった。

葵は表情を変えず数秒小夜子を見つめていたが、歯ブラシを口から抜き取り、笑い出した。

「やーだ、ボスも知ってるんだ。岩淵？　木原？　みんなその話が好きだよね。同性愛者だとか厭世《えんせい》主義者だとか言ってた？　残念ながら、私はごく普通の、男に縁のない男好きなんだけどね」

ひとしきり笑い、葵は洗面所に戻る。うがいをする音が聞こえてくる。手をつけていないコーヒーを見下ろして、小夜子は葵が洗面所から出てくるのを待った。カップのなかの黒い液体が、ぽっかりと口を開き闇をのぞかせるちいさな空洞に見えた。

14

あのあと——

ナナコの言っていたことの意味が、葵にはようやくわかるようになった。

何もこわくなんかない。こんなところにあたしの大事なものはない。いやなら関わらなければいい。とても簡単なことなんだ。

それは強がりでも空元気《からげんき》でもなく、シンプルな事実だった。

ナナコのいない学校に葵は通いはじめた。母親は、転校したいなら正直にそう言ってくれと幾度となく葵に言ったし、あんな事件を起こしたあとで、学校に通うのはたしかに苦痛だろうと冬休みのあいだ葵も思っていた。転校はしないと宣言したのは、単純に両親への気づかいだったか。引っ越しまでさせて転校したのだ。またべつの学校にいくわけにはいかない。それに、あたらしい学校でまた息をひそめるようにうまくやっていくことを考えると、それはそれで気が遠くなった。

だから、新学期、なんでもないことのように登校した。すべてはあいかわらず遠い壁の向こうで行われているようだった。今までいっしょに行動していた地味なグループのだれも近づいてこなかった。葵からも近づかなかった。以前学校を支配していた険悪なムードは、一掃とはいわないまでもだいぶ薄まっていた。ナナコがされていたように、葵をへんなあだ名で呼ぶ人はいなかったし、持ちものがなくなったり制服に足跡をつけられることもなく、事件に関する陳腐なストーリーが教室を飛び交うこともなかった。だれも葵に近づいてこないだけだった。話す相手がただのひとりもいないだけだった。しかし周囲をぐるりと見渡してみれば、そこには本当に、なにひとつ葵にとって大事なものなどなかった。壁の向こうに手を伸ばしてまでほしいものなどひとつもなかった。静かだった。壁のなかにひとり閉じこめられたように、葵を取り巻く沈黙は、葵が動かないかぎり波紋すらたてなかった。強いていえば、その静けさが葵にとって一番大事なものだった。ナナコのいない学校のなかで。

沈黙に囲まれて数時間過ごし、毎日葵は家に飛んで帰った。大急ぎで門を開け、ポストを開く。けれど待っている手紙はなかなかこなかった。

高校三年の夏休みが近づいてもナナコからの手紙はこなかった。葵は電話帳を開き、「野口」姓の家に片っ端から電話してみた。魚の子と書いてナナコと読む十七歳の娘は、けれどどこにもいなかった。

何もしないでいると、様々なことが思い浮かぶ。伊豆に向かう電車、真野家の庭にはためく白い洗濯物、プラスチックの真之介のブーブ、駅で泣いたナナコ、ラブホテルの珍妙な部屋、ピンクや紫の照明が点滅するディスコ。一連の光景が瞳の奥を流れ去ったあとで、どこへもいけなかったねと、あのときナナコが河原で言った言葉がかならず葵の耳の奥によみがえる。どこへもいけなかった。どこへいこうとしていたんだろう？どこへもいけなかった。どこへいこうと——短く交わした問答は延々と続き、自分たちのしたことと、その結果起きたことがめまぐるしく思い浮かぶ。関係ないとナナコは言ったが、けれどあんなことをしなければナナコがどこかへいってしまうことはなかったのではないか。ナナコが連絡をよこさないのは、あのことと関係があるのではないか。なぜ自分だけがここに帰ってきて、何もかわらない光景を部屋の窓から見ているのか——。考えていると決まって頭のなかが白く靄《もや》がかかったようになる。それは決して心地よいことではなかった。頭のなかに広がる白い靄は、ナナコの不在そのもののように思えた。

沈黙のなかで暮らし、沈黙のなかで卒業式を迎えた。志望していた大学に進学が決まり、ほとんど何も持たず葵は上京した。はじめてひとりで住んだのは、野方にある学生寮だ。

大学にはいってまず驚いたのは、だれも彼もがまったくふつうに葵に話しかけてくることだった。ねえ、サークル決めた？　クラスコンパがあるんだって、いこうよ。その服どこで買ったの？　彼ら、彼女らは、最初から友達として葵に接してきた。

学生食堂で昼飯を食べ、授業のあとは安居酒屋に飲みにいった。コンパと呼ばれる、大人数の騒がしい飲み会にも参加し、クラスメイトの住む四畳半の下宿に泊めてもらった。休みの日に待ち合わせをして映画を見たり買いものをする友達ができ、毎晩電話をしあう恋人のような男友達ができた。

けれどどうしても葵は彼らに心を許すことができなかった。調子を合わせて笑ったり怒ったりし、恋愛のまねごともできる。けれど一定の距離を超えて相手が近づいてくると、葵はあわててバリアをはる。電話に出なくなったり、学校にいかなくなったりして、また一定の距離ができあがるのをじっと待つ。幾人かの友達はそのうち離れていったし、男友達が恋人になることはなかった。だれかと親しくなることはこわかった。葵のなかで、親しくなることは加算ではなく喪失だった。

十九歳の誕生日、ナナコからプレゼントが贈られてくるかもしれないと葵はひそかに期待していたのだが、やっぱり何も連絡はなかった。ナナコはひょっとしたら、もうどこにもいないのではないかと葵は考えるようになった。今度は確実な方法で、ひとりきりで、ここではない場所を目指していったのではないか。そう考えはじめると、葵は決まって、足元がゆっくり崩れていくような不安を覚えた。

三年にあがってすぐ、葵は期限を決めず旅に出た。クラスメイトが船で上海にいったという話を聞き、彼のまねをして葵は鑑真《がんじん》号に乗った。日本を出るのも、ひとりで旅をするのもはじめてなのに、ちっともこわくなかった。

中国から香港へ、そこからベトナムへ飛び、スリランカを経てインド、インドからネパール……何を見てもどこを歩いてもカルチャーショックの連続だった。今まで世界だと思っていた場所は、なんてちいさかったんだろう。歩けば歩くぶんだけ世界が広がっていく気がして、葵は見知らぬ町を夢中で歩き続けた。

旅に出て一年近く経過し、ラオスを旅しているときだった。ビエンチャンからワンウィエンに向かうバス停で、ひとりの青年が近づいてきた。「日本人の友達がいるんだ」と、彼はなめらかな英語で話しかけてきた。「きみによく似ている女の子で、去年ここを旅してた。ついなつかしくなって声をかけた。まさか知り合いじゃないよね」と、彼は言うのだった。

舗装されていない赤土の道路を、バイクやトラックがひっきりなしに通りすぎていく。そのたび土埃が舞い上がり、周囲を薄赤く染める。バス停のわきには、フランスパンに具を挟んだ屋台のサンドイッチ屋があった。そのまわりを蠅が群がって飛んでいる。

「その人、なんていう名前だった？」葵は何気なく訊いた。

青年は聞きづらい発音をつぶやいた。ナナコ、と言ったような気がした。

「ナナコ？　ナナコというの？」葵は叫ぶように訊いていた。

「そうだ、ナナコだ」青年は大きくうなずいて、ナナコ、ナナコと確認するようにくりかえす。

「どこで会ったの、彼女は何をしていたの、どんなふうな女の子だったの、どこを旅していると言っていたの、日本ではどこに住んでいると言っていたの」うまく英語が出てきてくれないことにいらいらしながらも、葵は彼を質問攻めにした。

「きみより背の低いきれいな子で、タイからラオスに入ってきて、そのあとは日本に帰った。日本では東京に住んでいると言っていた」彼は説明し、葵は指先がふるえ出すのを感じた。まさか、あのナナコと同一人物のはずがないと思う一方で、その女の子は自分の知るナナコ以外ありえないようにも思えた。

「手紙と写真がうちにあるよ。見にくるか？」青年は言った。いく、葵は即答していた。

道路脇に停めた青年のバイクに、なんの躊躇もなく葵は乗りこんだ。

一応目抜き通りではあるが、店などほんの数軒の埃っぽい道路を過ぎ、パリの凱旋門を模したというパトゥーサイをくぐりしばらく走ると、あたりには店一軒、屋台すらもなくなる。バラックのような民家がぽつりぽつりと続き、名を知らぬ大木や雑草が、道の両脇で鬱蒼と生い茂っている。青年が連れていくのは彼の家だと葵は信じて疑わなかったが、バイクが停まったのは一軒の廃屋の前だった。

「金を出せ」バイクを降りた青年は、先ほどの友好的な態度とはうってかわって低い声を出した。膝がふるえ、脇の下やこめかみから、粘ついた汗がいっせいに吹き出す。喉がからからに渇いて声も出ない。嘘だったのか。今さらながら葵は気づいた。ナイフは持っていないようだ、殺されることはない、落ち着け、落ち着けと自分に言い聞かせる。逆らわず、金を渡して逃げおおせよう。それだけ考えよう。

トタンの崩れ落ちた廃屋から、二人の少年が出てきて、威嚇《いかく》するように葵をにらみつけている。葵はいっさいの抵抗をせず、ナップザックを下ろし、財布から紙幣を抜き取って青年に渡した。

「もっとあるだろう」青年は脅しつけるように言う。まだ高校生にもならないだろう少年二人が、葵のわからない言葉でひっきりなしに何か言っている。雑草のなかを無数の虫が飛びまわり、遠い耳鳴りのような羽音を響かせている。財布はナップザックに三つあった。ひとつはさっき青年に渡した現地の紙幣。ひとつは日本円が入っている。もうひとつは日本円とほぼ同額のトラベラーズチェック。少し考えて、再発行のきくトラベラーズチェックの財布だけ出した。

分厚いトラベラーズチェックの束を受け取った青年は、ぱらぱらとめくってそれをポケットにねじこんだ。サインがなければ使えないと知らないのかと、自分を落ち着かせるため馬鹿にするように思ってみたが、しかし皮膚が痛いほど強い陽射しの下、葵の腕にはずっと鳥肌がたっていた。

キープ紙幣とトラベラーズチェック、カメラ、ライター、ウォークマン、テープ。とられたのはそれだけだった。トラベラーズチェックの記入も、パスポートも要求されなかったということは、きっと組織的な犯行ではなく、単純に彼らの思いつきなのだろう。青年はふたたび葵をバイクに乗せてしばらく走り、なんにもない場所で降ろした。去り際、サンキューと笑顔を見せた。笑顔は青年をまるきり子どもに見せた。

バラックが続き、水田が広がり、木々が生い茂る、どこだかわからないその場所から、見当をつけて葵は歩きはじめた。向こうから人がくるたび、ビエンチャン？　と方向を訊いた。みすぼらしい身なりの女たちや男たちは、ものめずらしそうに、あるいはおそるおそる葵を見返すだけで、市街の方向を教えてくれる人はほとんどいなかったが。

信じられない、信じられない、信じられない。遮二無二歩きながら葵はつぶやいていた。こんな国、大っ嫌い。今までずっとひとりで旅して、こんな目になんかあったことなかった。親切にしてもらったことはあっても、あんな最低の嘘をつく人間なんか見たことがない。金が欲しいなら金をくれとその場で言えばいいものを、何がナナコだ、何が友達だ、何が写真と手紙だ。ばっかみたい、無記名のトラベラーズチェックでつかまっちまえ。声に出して言っていると、手のふるえがおさまり、鳥肌が鎮《しず》まり、恐怖が体内から発散されていくようだった。太陽は斜め横でじりじりと葵を照らし、毛の一部分抜けた犬がのろのろと葵を追い越し、羽虫がひそやかに飛びまわっていた。信じられない、もう一度吐き捨てるように言い、葵ははっとしてなんにもない赤土の道に立ち尽くした。

信じていたのだ。人は親切にしてくれるものだと、今の今まで信じていたのだ。それは葵にとって不可思議な、しかし唖然とするほどの発見だった。同じようにナナコがこの世界のどこかにいることもまた、露疑うことなく信じていたのだ。ナナコがあのおばさん的陽気さで、あの青年と言葉を交わし、どこか陽のあたる屋台のカフェでお茶を飲み、写真を撮り合い、日本に帰って手紙をしたためていると、まるで見たかのように信じていた。

赤土の道に突っ立った異国の女に、無遠慮な視線を投げかけて子どもを抱いた母親が通りすぎていく。数軒先の雑貨屋から、老婆が出てきてやはり葵を眺めている。目の前の景色がふくれあがり、水の底のようにゆらゆらと揺れた。泣いているのだとしばらくしてから気づいた。葵はふたたび歩きはじめる。強い陽射しで脳天がじりじりと暑い。涙が汗のようにひっきりなしに流れ続ける。蝿が腕に、顔にまとわりつく。鼻水をすすり、日に焼けた腕で頬をこすり、葵は歩いた。

羽虫が飛ぶような音がしてふりかえると、向こうから小型トラックが走ってくるのが見えた。手をあげて停め、市街地まで乗せてくれるようたのもうかと思いつくが、しかし葵はその場から動くことができない。小型トラックに乗っているのはどんな人なのか。ひとつ返事で市街地まで連れていってくれるのか。さっき鎮まったふるえが、ゆっくりと指の先からよみがえる。

赤い土埃をもうもうと舞いあげて、小型トラックは近づいてくる。みすぼらしい家から子どもが走り出てきて、通りすぎるトラックに手をふっている。

小型トラックが自分を目的地まで運んでくれる確証はない。またどこかに連れこまれ、金を出せとすごまれるかもしれない。市街地に着いたとしても法外な金額を要求してくるかもしれない。でも、だけど、それでも——。

葵は大きく息を吸いこみ、動きを止めた手足に力をこめて車道に躍り出た。両手を大きく掲げ、トラックに向かってちぎれるくらいふりまわす。クラクションが響き、悲鳴に似た音をたてて、数メートル手前でトラックは停車した。湯気みたいな土埃が車体を隠す。トラックに向かって葵は勢いよく足を踏み出した。

信じるんだ。今、そうだ、たった今私は決めた。

開け放たれた助手席の窓に身を乗り出して、「ビエンチャン！」運転席にいる男に葵は大きく叫んだ。「ビエンチャン！　サムセンタイ！　パンガム・ゲストハウス！　タート・ルアン！」通りの名、ホテルの名、寺院の名を葵は連呼して、運転手に意志を伝えようとする。葵の勢いにとまどっていた中年の運転手は、タラート・サオという市場の名でようやく理解したらしく、うなずきながら助手席のドアを開けた。

信じるんだ。そう決めたんだ。だからもうこわくない。馬鹿な嘘をつき脅す男がいる世界がある一方で、仕事を放り出し足を棒にして空いている安宿を捜し、礼の言葉も聞かず立ち去る男のいる世界も、またあるのだ。おんなじことだ。ナナコがいないこの世界のほかに、見知らぬ人と笑いながら言葉を交わすナナコが存在する世界だってある。だったら私は後者を信じる。この車は私を正しい場所に連れていってくれると信じるほうを選ぶ。

助手席に座る葵をちらちら見ながら男はトラックを走らせる。目が合うと、困ったように笑ってみせ、ビエンチャン、と低くつぶやいてうなずいた。虫の音、埃のにおい、裸足で歩く女、強烈な陽射し、変わらない風景が窓の外を猛スピードで流れていく。開け放った窓から入りこむ埃くさい風は、濡れた葵の頬をいつのまにか乾かしていた。

学生たちを主な顧客にした旅行事務所を葵が作ったのは、大学を出てすぐのことだった。ほとんどサークルの域を出ない事務所で、稼ぎもほとんどなく、アルバイトも並行してやらなければ生活できなかった。親しくつきあうようになった大学の鉄道サークルや旅行サークルの学生たちが、住まいを兼ねる葵の事務所にしょっちゅう出入りしていた。かつての旅で知りあった若者が日本に帰ってきて、住まいが決まるまでの数週間寝泊まりしていくこともあった。

住まいでもある事務所に、いつもだれかしらが入り浸っていることに、葵はなんのストレスも感じなかった。むしろいつもだれかにいてほしいくらいだった。だれかとともに寝起きしながら働き、働いたのちにわいわいと食事をする。それは単純に楽しかった。

旅行会社の下請け仕事が増え、収支がある程度安定してきたころ、大久保に引っ越して有限会社を立ち上げた。さらにホテルグループとのコネクションができて、大久保に中古マンションを買うのと同時に株式会社に改組した。入り浸っていた学生たちは次第にこなくなり、かわりにいくつもの事務机が、巨大なコピー兼ファクス機が、コンピュータが部屋を満たした。

自分にできることは何か。できないことは何か。指を折って数え上げるような毎日だった。できないことは圧倒的に多かった。数字に疎く細かい計算ができず、約束事はよく忘れ、書類を片づけることができず、事務能力が欠如している。できないことの多さは、けれどさほど葵を落ちこませなかった。私ができないのならできる人に頼めばいい。彼らのできないことで私にできることだってあるはずなのだから。

学生の個人旅行ブームはいつのまにか去り、不景気で数軒の取引先が会社を畳み、いくつかの事件が人々に海外旅行を躊躇させ、気がついてみれば社員より安い賃金しか得られなくなって、三十半ばになっていた。そして葵は、以前には感じなかった不安に足元を揺さぶられるようになった。

人と関わることに疲れている自分がいた。人を雇い彼らとともに働くことは、できることできないことを単純に分散させるのとはわけが違った。適当に仕事を怠け不満ばかり並べたてる。笑顔で近づいてきて、仕事を横取りしていく。自分の欠点は棚に上げ、こちらの非ばかり言い募る。葵の過去を何も知らないはずの人々は、いつのまにかそれをどこかで小耳に挟み、奇妙な好奇心で立ち入ってくる。何人も人がやってきては去り、やってきては去る。私のできないことのなかに、人と関わるという根本的なことも含まれているのではないか。そう思いついて葵はぞっとした。

同じ大学の出身だという主婦があらわれたのは、そんなころだった。仕事を頼んで正解だったとすぐに思った。プリーツの折り目一枚一枚にていねいにアイロンをかけるような仕事ぶりは、場合によっては、人を拒絶したいとき彼女が被る殻にも思えたが、仕事として割り切れば申し分なかった。

言葉を交わしているうち少しずつ、彼女が殻を割りその割れ目からこちらをまっすぐ見据えるような感触があった。高校生のときの自分を思い出さずにはいられなかった。

小夜子としゃべっていると、自分が記憶のなかのナナコを演じているような気分に、ときおり葵は襲われた。

ものの見事に汚れた部屋を、小夜子とともに掃除したことがあった。葵はそのとき奇妙な既視感を覚えた。無言のままひたすら床を磨き風呂場を洗う。額から顎へと流れる汗、部屋にさしこむ夏の陽射し、何も考えない空っぽの頭で懸命に動かす手、中里典子の容赦ない監視の目——伊豆で過ごした日々と、何もかもがよく似ていた。離れた持ち場で小夜子と部屋を磨きながら、少し前に感じていた不安がゆっくりと溶けていくのを葵は感じた。自分がやりたかったのはこういうことだった。立ち止まる前にできることを捜し、へとへとになるまで働き続け、その日の終わりに疲れたねと笑顔でだれかと言い合うこと——高校生の自分が待ち焦がれていた未来はそういう日々の先にしかあり得ないのかもしれないし、たぶん人よりできることの少ない自分がそれでもはじめたかったのは、株式会社だの経営だのではなくて単純にこういうことだったような気がした。

小夜子とは年齢と出身校以外、立場ものの見方も、持っているものもいないものも何もかも違った。正直、葵にとって、小夜子の言う「家庭」も「子ども」も「保育園」も、暗号のように遠く思えた。けれど自分たちは、おんなじ丘をあがっているような気がしてならなかった。まったくべつのルートから、がむしゃらに足を急がせたり、ときどき座って休んだり、歩くこと自体にうんざりしたりしながら、なだらかな傾斜をあがっている。立場も違う、ものの見方も、持っているものもいないものも違うが、いつか同じ丘の上で、着いた着いたと手を合わせ笑い合うような、そんな気が漠然とした。けれど今、その女は目の前に立って言うのだ、唇の端にうっすらと悪意をちらつかせながら。あのあと、どうなったの。自殺未遂のあと。ここを去っていった人の多くと同じように。

今までずっとそうしてきたように、おもしろおかしくかいつまんで話し、そして葵は目の前にいる女に言った。

「満足した？」

小夜子は表情のまったくない顔で葵を見ていたが、

「ええ、聞けてよかった」

口のなかでつぶやくように言った。

「今日は掃除もないし、もう帰ってくれてもいいよ。さっきの話、できるだけ早く返事ちょうだい。もし可能であれば、明日からでも頼みたいことがたくさんあるの」

いつもどおりの笑顔を作り、葵は明るく言う。

「じゃあ、失礼します」

小夜子は立ち上がって玄関へと向かう。テーブルのコーヒーは手がつけられていない。

「もし掃除を手放すのだとしたら、私もやめようと思う」

ドアの前でふりかえり、蚊の鳴くような声で小夜子は言い、一礼して出ていった。

部屋はしんと静まり返る。葵は椅子に両膝を立て、顎を埋めて閉まったドアを見つめた。階段を降りていく音が遠ざかると、葵は立ち上がり、台所の窓を開けた。昼の陽射しを浴びながら、煙草に火をつけ、深く吸いこむ。近隣の食堂から流れてくる、スパイスや脂のにおいが鼻を突く。関根美佐緒や岩淵さんと同様、彼女もたぶん、このまま去って二度とあらわれないだろう。山口さんは夫とともにここからいなくなり、バイトのマオも遠からずいなくなる。また人を募るとして、そのあいだ、ひとりでできることとできないことはなんだろう。できることとできないことは——葵は流しで煙草をもみ消し、その場に座りこんで顔を腿《もも》に伏せた。人を募ってまた向き合って面接をして、仕事を教えともに働きはじめる——うんざりだ、と思っていることに気づいてしまった。

背をまるめ顔を両手で覆い、葵は泣こうとしてみる。出てこない涙を誘うように、うえーん、と子どものように声を出してみる。涙は一向に出てこない。突っ伏し顔を覆った両手の隙間から、台所の床を眺める。通りかかったトラックを停めるために、赤土の道に躍り出て両手を大きくふったときのことを思い出す。陽射し、色合い、埃の匂い、恐怖が去らずふるえ続けていた膝。

「やーめた」大きく言って葵は立ち上がった。「社長室」の床に投げ出してある携帯電話を手にとり、アドレスをスクロールする。

「あ、もしもし、ハナちゃん？　今日の夜、暇？　飲みいかない？　おごるからさ」

電話に出た相手に明るく言いながら、葵は2LDKの部屋をぐるり見まわす。

あー疲れた、今日は廿5でいく？　お帰りなさーい。やったー、ケーキ食べたかった！　お疲れさまー。かつてここで響いていた女たちの声を葵は反芻する。一番高いところに昇りつつある太陽は、椅子の散乱した無人のダイニングテーブルを静かに照らしている。

15

年末に保育園は休みに入った。毎日家にあかりがいるおかげで、自分の選択は正しかったんだと小夜子は思いこむことができた。

プラチナ・プラネットを辞めてからずっと、どこにも出かけず、家のなかをぴかぴかに磨くことで日々を過ごした。それもまた、年の瀬という時期のおかげで、小夜子の自己嫌悪の種にはならなかった。公園にいくより児童館にいくより、新年を迎えるための大掃除が先決だと小夜子は自分に言い聞かせていた。

働きはじめたのが六月だったから、半年ほどほとんど手を入れていないことになる。週に一度、簡単な掃除はしていたが、この半年で家のなかはずいぶん汚れていた。まとわりつくあかりの相手をしながら、換気扇を磨きガス台を磨き、床を磨き食器棚を磨き、網戸をきれいにし風呂場を隅々まで洗った。磨いても磨いても、家のなかのどこかしらに汚れはあった。ひとつひとつきれいにしていっても、磨き忘れたところがあるような気がして、雑巾を手に小夜子は部屋をうろついた。

四時近くになると、あかりを連れてスーパーにいく。ちいさな子ども連れの主婦で混んだスーパーをゆっくりと歩き、食材を選び、毎日手のこんだ料理ばかり作った。修二の帰りが遅い日は、あかりを寝かしつけてから、新学期のための縫いものをした。入園前に作った通園バッグも運動靴袋も、あわてていたぶんずさんなつくりだった。ミシンの説明書をじっくり読み、ピーターラビットやくまのプーさんの刺繍に挑戦し、タオルにもハンカチにも、あかりの名をていねいに刺繍した。次の仕事が見つからなければ退園しなければならないのだが、何かせずにはいられなかった。

ときおり葵のことを思い出した。葵を、というより、葵が最後に語った高校時代の話を。ともに屋上から飛び降りた女の子と、葵はそれきり会っていないのだと言っていた。すぐ彼女は転校してしまい、連絡もおたがい取り合わなかった。やっぱりそうか、いつか想像したとおり、葵は逃避行した友達のことなどすぐに忘れたのだと納得するかたわらで、その結末は、かつて見知らぬ女子高生を羨んでいた小夜子をいくらか失望させた。そうだったんだ。ちいさく言うと、葵は自嘲気味に笑った。そんなもんよ、子どもだったんだから。

そんなもんだろうと、家を磨きハンカチに刺繍をしながら小夜子も思った。どれほど親しくなったって、一度離れてしまえばあっという間に関係は終わる。あの風変わりな事務所のことも、同い年の女社長のことも、自分はすぐに忘れるだろうし、葵だってそうだろう。子どもじゃなくたって、いや大人だからこそ、記憶はすぐさま日々に紛れてしまうだろう。

仕事を辞めることにする、と言ったとき、修二は驚かず、やっぱりな、と言った。やっぱりな、そのほうがいいよ。そう言った。

仕事を辞めたのだから、あかりも一月末までに保育園をやめなければならない。どちらにしてももうすぐ幼稚園なんだし、今の保育園にはあかりも慣れている、気軽に話せる母親たちもいる。このまま通わせていたいが、しかしそれならすぐにでも次の働き口を捜さなければならない。人材募集の新聞チラシを眺め、折り線をつけたりペンで丸く囲んでみたりしてみても、やっぱりな、という修二の言葉がすぐに思い出される。どうとも決められないまま、執拗《しつよう》に部屋を磨き上げ続けて新年になった。

新年、小夜子はあかりを連れ修二とともに義母の家を訪ねた。毎年の恒例行事である。義母は相変わらず愚痴っぽかった。

「小夜子さんはどうせお節《せち》なんか作らないんでしょ、でもお正月はお節がなきゃ気持ちが引き締まらないわよね、これは夕べ遅くまでかかって作ったの、それであたしは疲れちゃってんの、小夜子さんサラダか何か、作ってちょうだいよ」

狭い台所で、小夜子の背後にぴったりとくっついて義母は言い募る。それじゃあと、野菜室を開けると、「そのキャベツは使わないで、人参も残しておいて」といちいち指図する。

「小松菜をサラダに使う気なの？　どんなものができあがるのやら……。ねえ、お刺身もあったほうがいいわよねえ？　駅前のスーパー今日からやってるから、何か見つくろって買ってきてくれない？」

ああ、またはじまった……と心の隅で思いながら、しかし、

「修二さん、お刺身買いにいってって、おかあさんが」居間のソファで寝ころんでいる修二に、小夜子は声を張り上げていた。

「んあ？　何を買ってくるんだって？」のそのそと修二が立ち上がる。

「お刺身。何か好きなの見つくろってきてって。ちょうどいいから、あかりも連れてってくれない？　私これからお浸しつくるから、当分手が放せないの」

どんな反撃が出るかと思ったが、義母はあわてて財布を握り、修二のところへ駆け寄っている。鮪か鯛か、平目なんかでもいいし……あんた平目とか鯛とかわかる？　はじめてのおつかいにやるようにおろおろ言い募る義母を、笑いながら制する修二の声が聞

こえてくる。あかりー、スーパーいくぞー！　修二の呼び声に、退屈して駄々をこねはじめていたあかりはがばっと起きあがり、いくぞー！　まねして叫んでいる。冷蔵庫を勝手に開け、使えそうな野菜を小夜子は次々と取り出していく。キャベツも人参も流しに並べる。なんだ簡単じゃないの。ひとりで背負いこまなくたって、言えば人は動いてくれるじゃないの。鍋の湯を沸かしながら小夜子は、苦手な義母の家で鼻歌をうたっていることに気づく。

六時には夕食になった。お節料理と、修二の買ってきた刺身、小夜子の作ったサラダとお浸しがテーブルに並ぶ。つけっ放しのテレビは、隠し芸大会を騒々しく映し出している。

「お正月はうるさい番組ばっかり」

義母が言いかけたとき、そうだ、とつぶやいて修二が立ち上がった。

「ビデオあるんだ、かあさん、あかりのはじめての運動会ビデオ。これ見よう、見せようと思ってたんだ」

修二はバッグからビデオをとりだし、テレビの前にしゃがみこんでセッティングしている。

「あのねー、あーちゃんニンジャやったのー、ニンジャの踊りなんだよ、バアバ」身を乗り出すあかりに、

「ああ、そう、ふうん」さほど興味なさげに義母は答えている。

テレビのにぎやかな音声が途絶え、画面は一瞬青く染まり、やがてビデオが流れはじめる。小夜子はちらりと画面に目をやっただけで、無言で食事を続けた。葵が撮ったこのビデオを、あかりのダンスの部分だけ、しかも数えるほどしか小夜子は見ていなかった。見ているとどうしてもあの日のことが思い出される。

ノイズの多い運動会の音楽がはじまり、マイクを通した保育士さんの歓声が聞こえてくる。場面がかわるたびあかりが何か言い、修二がいちいち義母に説明して聞かせている。小夜子はお節のエビに手を伸ばし、殻をむき、それを食べず鮪を小皿に移し、醬油に浸す。

「へええ、ずいぶんきれいに撮れてるんだねえ」

「だろ? テレビ映像と間違えちゃうだろ、あ、ほらほら、小夜子が映ってる」

「あらほんと、じゃあこれ撮ってるのはだれなの?」

「ママとおどったの、えーんやら、もーものきー」あかりが歌い出す。

「友達がきてくれたんです。修二さんがこられなくて」小夜子は義母に言った。

「悪かったって謝ったじゃん。おれだっていきたかったよ」

「あらあら、あの子、泣いちゃってる。見てよ、かわいそうに」義母は珍しく声を出して笑った。

「さくらちゃんはすぐ泣くのー」あかりも笑っている。

「あらまあ、こうして見るとずいぶん大きさが違うもんだわねえ、あれは何歳になる子たちなの？」

義母に訊かれ小夜子は食卓から顔を上げた。競技は親子ダンスからかけっこにかわっている。葵はビデオをまわし続けていたらしい。スタートラインについた子どもたちが、いっせいに走り出す。

「五歳児クラスじゃないかしら」

小夜子は答え、画面に移した目をそのまま止めた。リズミカルな曲をバックにかけっこをする子どもたちのひとりが、派手に転んだ。転んだ格好のまま、起きあがろうともせずに泣き出してしまう。がんばれ、もう少しだ、なおくん、走れー。マイクを通した保育士さんの声が響く。そのときカメラは、転んだ男の子を大写しにした。少し先を走っていた男の子がふりかえり、ゴールを目指すべきか、後戻りするべきか、ちいさな足をもじもじさせながら思い悩み、弾かれたように転んだ子のところへ駆けだした。歓声が上がる。男の子は地面にうつぶせになって、泣きわめく男の子をなだめている。なだめ、手を引き、立ち上がらせ、ゴールを目指してゆるゆると二人で歩きはじめる。手を引かれながら空を仰いで泣く子どもの頬を、もうひとりはてのひらで拭いてやっている。二人のゴールを見届けてから、画面はぶれて、手をふりながら近づく小夜子が映る。

画面はいったんとぎれ、ぶれながら次の場面になる。あかりのクラスの子どもたちがグラウンド中央に集まる。カメラはあかりを大きく映し出す。

鮪を箸で挟んだまま、小夜子は画面を凝視していた。あかりたちは保育士さんに手を取られ位置に着く。にぎやかな音楽が鳴り出す。空は青く、グラウンドの隅ではカメラやビデオを手にした父兄たちが身を乗り出している。あかりはその場でじっと動かない。目だけをきょろきょろ動かしている。スピーカーから小夜子と葵の笑い声が聞こえてくる。あーちゃん、踊れー、がんばれー。重なり合う声が響く。やがてあかりはぎこちなく動きはじめる。

画面を見ながら、小夜子はビデオカメラをかまえた葵の姿を見ていた。寝不足のむくんだ顔で、懸命にあかりの姿を追う葵。転んだ友達を迎えにいく子どもを、思わず切り取った葵の姿。

「ちょっと小夜子さん、お醬油！　お醬油！」

義母の甲高い声に我に返る。箸に挟んだ鮪から、ぽとりぽとりと醬油が垂れ、スカートに染みを作っている。

「やだ、これ、お正月用に買ったばかりなのに！」

小夜子は明るく言い、洗面所に駆けこんだ。タオルを湯で湿らせ、染みを幾度も叩《たた》く。こんちくしょう、こんちくしょうと歌うようにつぶやきながら、自転車を走らせた日を小夜子は思い出す。記憶のなかで汗だくの自分は、つぶやく言葉と裏腹に、思い出し笑いの寸前みたいに口元をゆるめ、軽やかにペダルを漕いでいる。輪郭をぼやけさせ、淡くなっていく染みを、必要以上の力をこめて小夜子は叩き続ける。食堂から、義母と修二とあかりの笑う声が聞こえてくる。

あまり気が進まなかったが、小夜子は誘われるままファミリーレストランにいった。窓際の禁煙席に座り、コーヒーや紅茶を口々に注文する。最近親しくなった彼女たちは、みな幼稚園児の母親で、小夜子はまだ全員の顔と名前が一致していない。保育園の退園期限が迫っていた小夜子が、エレベーターでいっしょになった子連れの母親に幼稚園についで質問したのがきっかけで、彼女とよく話すようになった。元山さんという名の彼女は、小夜子に幼稚園ママ友達を紹介してくれた。彼女たちは、ファミリーレストランでお迎えの時間を待つことを日課にしており、マンション付近で行き会うと小夜子にも声をかけてくる。

彼女たちは席に着くなり、幼稚園の催し物や、担当の先生についてあれこれとせわしなく言葉を交わす。小夜子は話に入っていけないが、そのほうが居心地がよかった。なんにも口出しせず、にこにこと相づちを打つのは楽だった。店員が飲み物を運んでくる。全員の前にすべてが並ぶまで、いっとき母親たちは口を閉ざす。

店員が去ると、ふたたび彼女たちはいっせいに会話をはじめた。

「受験のこと、考えなきゃねー」

「え、受験なんかするの？　ああ、そういえば早田さん、四月になったら塾いかせるって言ってたもんね」

「うちはもう、第三小でいいと思ってるんだよね」

「だってさあ、保育園からきた子見てたらこわくなっちゃって」

「ああ、乱暴な子、多いもんね。うちのマンションにもいるんだけど、うるせえってこっちにらんだりするんだから。馬鹿とか死ねとか平気で言うし」

「ね、田村さん、保育園のお友だちってお行儀悪い子、多くない？」

いきなり話をふられ、小夜子は曖昧に笑ってみせる。

「田村さんも早くやめさせちゃったほうがいいわよ、あーちゃんはいい子だけど、子どもってすぐ影響されちゃうからね」

「そうそう、その馬鹿とか死ねとかいう子、きょうだいで田村さんとこと同じ保育園だと思ったわ。三歳児クラスに倉田蓮くんっているでしょう」

「ああ、レンくん」小夜子はうなずく。生命保険会社で働く、丸顔のレンくんママが思い浮かぶ。

「あの子、こわいのよー。あんなちいさいのに、うちの子突き飛ばして泣かすんだから」

「保育園の子はね、しょうがないよね」

「田村さんはさ、ほら、お仕事やめたからあれだけど、保育園の子って結局、おかあさんみんな働いてるじゃない。いっしょにいる時間もほとんどないし、なんか粗雑っていうか、乱暴なのよ。一目瞭然だよね、保育園育ちの子って」

「それでちょっとおかあさんのほうに注意すると、ものすごい理詰めで反論してくんのよね、自分は社会に出てるんだって、へんな自信持ってるから」

「そうそう、こないだなんかさあ……」

へええ、へええと、物珍しそうに感心したふりをしつつ、小夜子は窓の外に目を向ける。濁った色の空はどんよりと低い。元山さんをはじめとする母親たちがそろって専業主婦で、さらにそろって働く母親をよく思っていないことは、知り合ってすぐ気づいた。それでも小夜子は誘われればたいがい断らない。幼稚園や定期健診について、アドバイスをもらえるのは単純に助かった。唐突にはじまった働くママバッシングにも曖昧な相づちを打ちながら、小夜子は既視感を覚える。既視感というよりも、それは記憶なのだとすぐに気づく。いくつも年齢を重ねたのに、机をくっつけて弁当を食べていた高校生のころとまったくかわらない。架空の敵をつくりいっとき強く団結するる。けれどその団結が、驚くほど脆《もろ》いことも小夜子は知っている。おそらく数カ月後には、ひとり子どもを塾に通わせる早田さんが、彼女たちの攻撃の的になっているのではないかなどと、無責任な想像をする。

なんのために私たちは歳を重ねるんだろう。大きな窓の外、葉を落とした銀杏並木を眺め小夜子はぼんやり考える。園児を待つあいだのお茶の誘いを、忙しいからと数度断れば、元々同じ幼稚園に子どもを通わせているわけではないのだし、彼女たちはもう誘ってこなくなるだろう。けれどそんなことでもう自分は傷ついたりしない。高校生のように暇じゃないのだ。自分にも、彼女たちにも、それぞれの家庭があり生活がある。

「うちのマンションにね、在宅で仕事してる人いるの。デザインだかなんだか知らないけど。その人、子どもを平気でうちに遊びにこさせるんだよね。それで、六時七時までいるんだもん。そのあいだ、ママは家で仕事してるんでしょ？　ちょっとひどいと思わない？」

「そうよ、こっちにタダで面倒見させて、自分はそのぶん稼いでるんだもん。そうとうな話よ」

「同じマンションなのが運の尽き」

「いやなのよね、その子、乱暴で。和室はお菓子のカスで汚すし、障子も破られちゃった」

「えー、それ言ったほうがいいよー」

「ねえ、田村さんのクラスの子はそんなことないの？　田村さんが家にいるのをいいことに、ちゃっかり預けちゃうママとか、いるんじゃない？」

斜め向かいに座っていた、小夜子とさほど年齢の離れていない母親が、顔を突き出して訊いた。その顔は木原によく似ていた。

「いけない、うちの子のクラスもう終わる時間。すみません、お先に失礼するわ」小夜子は腕時計に目を落とし立ち上がった。あら本当、早くいきなさいよ、ごめんなさいね気づかなくて。母親たちの言葉に見送られ、ボックス席を出て数歩歩いて、あわてて戻る。「すみません、これコーヒー代、おいてきます。それじゃ、またね」笑顔で言って駆けだした。

今ごろ、在宅業ママからあーちゃんママに話題は変わっているかもな、とちらりと思い、どうでもいいやと思いなおす。保育園の門まで走り、園庭で遊ぶ子どもたちのなかにあかりの姿を捜す。あかりは砂場でおままごとをしていた。向かいにいるのは、さっき話題に出たレンくんである。砂場に向かって歩きはじめた小夜子はふと足を止め、おままごとに没頭している二人を離れた位置から眺めた。

なんのために歳を重ねたのか。人と関わり合うことが煩わしくなったとき、都合よく生活に逃げこむためだろうか。銀行に用事がある、子どもを迎えにいかなきゃならない、食事の支度をしなくちゃならない、そう口にして、家のドアをぱたんと閉めるためだろうか。そんなことを思う。

年上の子どもを突き飛ばして泣かせたらしいレンくんは、砂を盛ったお椀をあかりから受け取っている。おお、今日はお寿司か、ママ、ビールないの、などと生意気なことを言っている。ビール？　ビールは飲んじゃいけません。あかりが答え、小夜子は思わず笑い出した。

「あっ、あーちゃんのママ」

レンくんが声をあげ、ふりむくと同時にあかりが駆け寄ってくる。レンくんもあとを追って小夜子のところに走る。

「あーちゃん、帰るんだ」唇をとがらせる。

「レンくんのママは何時になるの」小夜子は訊いた。

「わかんねー」

「ママ、おままごとしたんだよ」

「じゃあまたね、レンくん。今度遊びにおいで」

「わかんねー」

「バイバイ、また明日ね」

「バイバーイ」あかりは手をふるが、レンくんはそっぽを向いて無視している。

あかりと手をつなぎ門へと歩きながら、小夜子は葵が撮ったビデオを思い出していた。

転んだ子ども、グラウンドにうつぶせになってなぐさめる子ども、彼らを思わず画像におさめた葵。

手をつなぎ屋上から飛び降りた二人の女子高生が、なぜそれきり会わなかったのか小夜子はふいに理解する。連絡しなかったのではない、子どもだからすぐに忘れてしまったのではない。葵ももうひとりの女の子も、こわかったのだ。同じものを見ていたはずの相手が、違う場所にいると知ることが。それぞれ高校を出、別の場所にいき、まったく異なるものを見て、かわってしまったであろう相手に連絡をとるのがこわかった――友達、まだできないの？　と訊かれるのがこわかった――。

「バイバーイ」

背後で声がし、ふりむくと、レンくんが柵に体を押しつけて、あかりに向かって手をふっていた。

「またあしたねー」あかりが叫ぶ。

「うん、あしたねー」レンくんは怒ったように言い、園庭へ戻っていった。

バイバイという言葉が、かわらない明日と同義だったころを小夜子は思う。明日また、同じ制服を着た彼女に会える。同じ目線で、同じ言葉で、同じ世界のなかで話すことができる。そう信じていたころ。

「あしたねー」

私たちはなんのために歳を重ねるんだろう。遠ざかるクラスメイトに手をふり続けるあかりを見下ろして、小夜子はぼんやりとさっきの問いをくりかえす。

　ぎしぎしと進む年代物のエレベーターで五階まであがり、さびの出はじめたドアの前に立って、小夜子は大きく息を吸いこむ。人さし指を目の高さに掲げ、インタホンに近づける。指がふるえている。追い返されるかもしれないし、気まずい沈黙が流れるかもしれない。何より、馬鹿なことをしていると自分でも思う。捨てぜりふともとれる言葉を吐いて、立ち去ったのは自分自身なのだから。けれどもう決めたのだ。呆れられても、門前払いを食わされても、ここへはこなければならなかった。

　中里典子から電話がかかってきたのは数日前だった。今度、主婦を対象にした掃除代行の人材派遣をはじめると、なつかしくなるようなてきぱきした口調で話し、登録しないかと誘ってきた。返事に迷い、どうして専業主婦に戻ったことを知っているのかと小夜子は話題を逸《そ》らした。

「だってほら、葵ちゃんとこはあんなんなっちゃって。私、正直、ぽしゃるだろうなとは思ってたんだよね。けど、田村さんのおかげでどうにか軌道に乗りはじめてきたところだったんだってね。悔しい、悔しい、って葵ちゃん、言ってたよ。そうだよね、私だって最初にあなたの面倒みたとき、あんなに仕事きちんとやってくれる人、珍しいからさ、うちにひっぱっちゃおうかって思ったくらいだもん」

「楢橋さんが、私に声をかけるよう中里さんにお願いしたんですか」

「やあね、違うわよ。いきなり掃除を手放せなんて、へろっと言っちゃったことが申し訳ないって、葵ちゃんはそればっかり。人がいなくなったプラプラを、どうしても田村さんに手伝ってほしかったんだってさ。でもそりゃ申し訳ないよ。長いこと研修させて、はじめるなり空中分解だもの。この電話はいわば抜け駆け。葵ちゃんとこは今掃除どころじゃないでしょう、これはうちにきてもらうしかないってあわてて電話したわけ」

小夜子は耳を押しつけて中里典子の声を聞いた。掃除を手放そうと言った葵を思い出す。マグカップの中身をのぞいていた、葵の白い顔。悔しい、悔しい——修二とやり合い、不安をうち消し、こんちくしょうと自転車を漕いでいた日々を、葵はどうせ知らないだなんてなぜ思ったのだろう。

プラチナ・プラネットがどうなったのか、小夜子は重ねて訊いた。

あのあと、残ったのは山口さんだけだった。その山口さんも、年度末の引っ越しのために、年末事務所を去った。大久保の事務所は賃貸ではなく中古分譲で、全員の退職金を工面できなかった葵は事務所を売りに出してそれを払い、今は下北沢の住まいで、事業を縮小してひとりでやっているのだと、中里典子は説明した。

「人がやめてくのなんて当たり前じゃない、すぐ補充すればいいものを、葵ちゃんたらぐずぐずして、あれやこれや手放しちゃって、隠居みたいにひっそり仕事してるんだよね。で、どうする？　派遣」

一度だけ訪れたことのある葵の住まいを思い出しながら、考えます、と小夜子は上の空で答えて電話を切った。

大きく息を吸いこんで、インタホンを押す。ピンポーンと、間延びした音が玄関ドアの向こうで聞こえる。返答はない。もう一度押す。

「なんだ、留守か……」

全身から力が抜けていくようだった。帰ろうか。けれど今帰ったら、もう二度とこない気がする。今日は毛布を洗濯しなくちゃいけないとか、今日はあかりのタオルに名前を縫いこまなくちゃとか、言い訳をいくらでも見つけて後まわしにし、どうでもいいやと無理矢理忘れてしまう気がする。けれど小夜子はもう知っている。雑巾を手にうろつきまわっても、磨き忘れたところは家のなかにあるのではない。

下で待つか……。口のなかでつぶやいて、小夜子は薄暗い廊下でエレベーターのボタンを押す。

ぎしぎし耳障りな音をたてながら五階にあがってきたエレベーターが扉を開く。扉の向こうに、葵が立っていた。

「あっ」予期せぬ出現に小夜子は思わず大声を出した。

「えっ」同時に葵も叫び、まじまじと小夜子を見つめ返す。

動きを止めた二人のあいだで、エレベーターの扉はゆるゆると閉まりはじめた。小夜子はあわてて両手で扉を押さえ、葵は葵で片足で扉を押さえた。たがいの格好がおかしくて、小夜子と葵は思わず笑い出した。

「やーだ、びっくりしちゃったじゃないの」

葵はエレベーターを降りる。片手にコンビニエンスストアの袋をぶら提げている。ずいぶん痩せたみたいだと小夜子は思った。背後で扉は閉まり、ぎしぎしとエレベーターは階下へ降りていく。やがて静まり返った。

「突然すみません」小夜子は言った。笑ったことで一瞬ほどけた緊張が、また喉元までせりあがってくる。

「ほんと突然。どうしたの？　ひょっとして退職金とか言い出す？」葵は小夜子のわきをすり抜けて外廊下を歩き、玄関のドアを開けている。

「お願いがあってきたんです」

小夜子は思いきって声を出した。ドアの取っ手に手をかけた葵は、廊下に立つ小夜子を見る。

「何か、手伝うことありませんか。なんでもやります。電話番でも掃除でも、数字の打ちこみでも封入作業でも、なんでもやる。見習い料金でいいの。ううん、ちゃんと仕事覚えるまでタダだって」

「ちょっとボス、叫ばないで。他の部屋の人になんだと思われるじゃない」

葵は小声で小夜子を遮り、玄関の内側にまわって小夜子に手招きをする。小夜子はあわててドアに体をすべりこませた。

「どうぞ。散らかってるけど」

言われるまま、葵のあとに続いて部屋にあがる。葵の住居兼事務所は、以前どんなだったか思い出せないほどのすさまじさで散らかっていた。ダイニングを兼ねたリビングには、壁が見えないほど段ボールが積み重ねられ、床にはパンフレットや校正刷り、コピーの束や付箋を貼った雑誌が雪崩を起こしたまま積まれている。台所の流しには、カップラーメンや弁当の空き箱が積み上げてあり、冬だというのに小蠅が飛んでいる。襖の取り払われた和室には、事務所で葵が使っていた文机、ばかでかいコピー兼ファクス機、資料の乱雑に突っ込まれた本棚が、シングルベッドを囲むように所狭しと置かれている。ここでも積み上げられた段ボールが半分以上窓をふさぎ、部屋はどんよりと暗かった。ここからの眺めが好きだと葵が言ったリビングの窓も、積み上げられた荷物で三分の二がふさがっている。窓の上部に細長く、澄んだ冬空が広がっている。

「こういう有様なんです」

葵は、山積みになった洋服や洗濯物をよけ、「どうぞお座りくださいませ」小夜子にソファを指し示した。

「ちょっと、お昼まだだったんで、失礼」

葵は言い、床に座るとコンビニの袋からサンドイッチとおにぎりを取り出した。それきり何も言わず、もそもそと咀嚼している。小夜子は葵を盗み見た。その表情から感情を読みとろうとした。けれど何もわからなかった。何か言わなければ。自分から言い出さなければ。小夜子は言葉を捜す。

「あんなふうに辞めてしまったこと、ずっと後悔してたの。楢橋さんにはお世話になったし、ちょうどペースにも慣れてきたころだったのに」

違う。そんなのは全部嘘だ。どこかで見聞きした都合のいい言葉でしかない。小夜子は床に落とされた衣類を見、おにぎりのパックをはがしている葵を見、ふさがれた窓の向こうの、細長い青空に目を凝らした。

「ファミサポのこと、楢橋さん言ってたでしょう。私、じつは知らない人と関わるのが煩わしくて調べようともしなかったの。でも思いきって登録して、近所のご家庭を紹介してもらったの。拍子抜けするくらいかんたんなことだった。ほんとにね、何をこわがってたんだろうって思うくらいかんたんな、あたりまえのことだった。だからもう万全。残業もできます」

小夜子は言った。葵はおにぎりのかけらを口に押しこんで、床に目を落とし口を動かしている。

ファミリーサポートセンターで近所の提供会員を紹介してもらったのは、中里典子から電話を受けてすぐのことだった。紹介されたのは、独立した子どもが二人いるという五十代の夫婦だった。この夫婦も、最近になってセンターに登録したのだと言う。面談のとき、「まあ、また子育てできるんだわ」と妻は顔をほころばせた。

「燃え尽き症候群だったもんな」夫がからかうように笑った。「子どもたちが出ていって、この人、一日ぽかーんと食卓に座ってるんだ」

「初対面のあなたに言うようなことじゃないけれど、何かねえ、子どもたちに私はなんにもしてあげられなかったんじゃないかって思っちゃってね。あの子たちがこの家に寄りつかないのは、だからなんじゃないかって。そんなとき、主人がファミリーサポート制度の話を聞いてきてくれて。自分の子どもですらよくわからないのに、よそのお子さんを預かるなんてなんだかこわくてずいぶん迷ったの。でもお会いできてよかった。早く登録していればよかったわ。こんなにかわいい女の子とまた出会えるんだから」妻はやわらかい笑顔をあかりに向けた。

「英子の子どものころにそっくりだ」夫が言った。娘の名らしかった。

「そうだわ、ねえ、週末にお食事会しましょうよ。英子と雅史も呼んで。あの子たち、きっとくるわよ。田村さんも大丈夫よね？　だれかの都合が悪ければ次の週。それもだめなら来月だっていいわ。にぎやかになるわね」

その思いつきに顔を輝かせ、早くも献立を考えはじめる妻を見ていて、小夜子はようやくわかった気がした。なぜ私たちは年齢を重ねるのか。生活に逃げこんでドアを閉めるためじゃない、また出会うためだ。出会うことを選ぶためだ。選んだ場所に自分の足で歩いていくためだ。

「中里典ちゃんから電話いかなかった？　うちより彼女のところのほうが、よっぽど待遇はまともだと思うけど」

「楢橋さんのところじゃなきゃだめなんです」

小夜子はきっぱり言った。葵は手にしたサンドイッチをじっと見つめている。

「ゴム手袋をね、使うの禁止されていたでしょう」小夜子は胸の内でつぶやくように言い、薄く笑った。「スポンジがはりつくくらいの油汚れを、頭が空っぽになるくらいこすり続けていると、だんだん手元が軽くなってきて、それで、指を這わせると、すっと、なんの抵抗もなくなる瞬間があるのよね。スポンジと、洗剤と、このてのひらだけで、こびりついた汚れがあとかたもなく消える。でも何か、油汚れを落とさないまま帰ってきたような、後味の悪さがずっとあって……。中里さんのところでもう一度掃除をはじめても、それはきっと消えないんだと思う」

葵がなんにも言わないので小夜子は不安になった。やはり図々しいことを言っているのか。いや、そもそも葵はもう人材を必要としていないのではないか。葵が顔を上げた。小夜子は思わず目を落とし、自分の指先を見つめる。家のなかをずっと掃除していたせいで、肌は乾燥し、爪はささくれている。

「そりゃあそうよ。中里典ちゃんは私と違って片づけられる女だもん。ってことはボス、覚悟があるわけね。このすさまじく散らかった部屋を一日でぴかぴかにする覚悟が」

葵はサンドイッチを口に放りこんで言い、上目遣いで小夜子を見て言った。そういう意味ではないと言おうとして小夜子は、しかし言葉を飲みこみ、ソファから立ち上がった。自分の言ったことの意味を葵は正確にわかっていると気づいたからだった。

「たった一日で？」小夜子は部屋を見まわす。

「じゃあそれを面接試験にしようかな。一日で終えたらプラチナ・プラネットに採用します。腐っても私は社長ですから」

「これだけ散らかして一日とは、またずいぶん大きく出ましたね。わかりました。精一杯がんばらせていただきます」

小夜子は立ち上がり、深々と頭を下げた。

「たのんます」

小夜子を真似て葵も頭を下げる。小夜子がふきだし、葵も笑い出した。

「まずこの窓。この窓をなんとかしよう。光を入れなきゃこの部屋かなり不気味だもの。

楢橋さん、お仕事あったらやっててね。捨てていいものかとか分類の必要とか、質問があったらその都度訊くから」

リビングの大きな窓に歩み寄り、小夜子はとりあえず積み上げられた段ボールを床の隙間に下ろし、なかを検分していく。和室に向かった葵は、文机の前に座り、コンピュータの電源を入れている。ファクシミリが自動受信し、用紙に印字されるものの音が聞こえてくる。

開いた段ボールには、ファイルや広告の掲載紙、菓子箱やフロッピーが詰まっている。べつの段ボールを開けるとガイドブックや各国の交通地図、時刻表と、はさみだの糊だのといった文房具がごっちゃになっている。小夜子は腕まくりをし、中身をいったん取りだしていくことに没頭した。それでなくとも空いている部分のなかった床は、あっという間に見えなくなる。ふりかえれば、部屋じゅうに散乱した雑誌や段ボールが目に入る。気が遠くなる。

だいじょうぶ、ひとつずつ片づけていけば絶対になんとかなる。自分にそう言い聞かせ、小夜子は空になった段ボールをつぶしていく。次に開いた段ボールからは大量の本と、こんがらがった大量のコード類が出てくる。それらをより分け、絡み合ったコードをほぐしはじめる。足元に置いた本の山が雪崩を起こし、思わず舌打ちをして小夜子は本を抱え上げた。カバーのない文庫本が足元に落ちた。本を抱えたまましゃがみこみ文庫本を拾い上げると黄ばんだ紙切れがひらりと落ちた。小夜子は手をのばし、こんながったコードの上に舞い落ちた紙片を何気なく見た。

それは手紙だった。青いインクでびっしりと文字が書きつづってある。本を抱えたまま、小夜子は片手でそっとそれを拾い上げた。本来ならプライベートに関わるものに目を通してはいけない。中里典子にきつく言われていたことだった。たとえページを開いた通帳が目の前に落ちていてものぞきこんではいけないと、初日に釘をさされていた。

小夜子がその手紙に思わず目を走らせたのは、紙に踊る文字がまるで自分のもののように思えたからだった。外国語みたいな丸文字を、高校生の小夜子も書いていた。

ハローアオちんと冒頭に書かれている。だれか知らない女の子が、高校生の葵に向けて書いたものだとすぐに理解した。小夜子は手紙から目を離すことができなかった。すばやく文字を目で追う。

ハローアオちん。

さっき電話でしゃべったばっかなのにもう手紙書いてるよ。今日の夜ごはんはなんだった？　あたしはうちの人るすで、なんかつくるのめんどくて、さっきおかし食べただけ。コアラのマーチだよ。今はまってんだ。

今日ね、世界史の時間に、めずらしくマツバラがじゅぎょう脱線してむだ話したの。

しってた？　マツバラってあんなんだけど、世界じゅう旅行したことあるんだって。それでね、どこがいちばんきれいでしたかって、りっちゃんが質問したの。どこだと思う？　マチュピチュだって。そんなのどこにあるかわかんないよね。なんか幻の空中都市なんだって。ぜんぜんイメージわかないけど。

　マツバラ、スイッチ入っちゃってそのあとずっと旅行の話してた。それ聞きながら、あたし考えたの。ねえアオちん。いつかいっしょに旅行いきたいね。フランスとかさ、オーストリアとかさ、うーんどこでもいいや。でもとにかくいってみたいな。あたしたちが一番きれいだって思うのって、どこだろうね。あたしはそれを知りたいな。

もし旅行とかしたら、この退屈な町もなつかしく思えたりするのかなー。わたらせ川が見たい！　なんておフランスで思うとか？　そんなのやだけど、でもそうだったらちょっといいね。ってへんだけど、でも、もしこの町に帰ってきたいと思えたらなんかそれってしあわせだよね。

　あしたいつもの川のところで待ってるね。オリーブの新しいやつと北斗の拳持ってくね。帰りに駅いったら文房具屋で地球儀見てみない？　マチュピチュってどこだかさがしてみようよ。いやだったらいいけど。

　ツナチーズのクレープが食べたいなり。やっぱおなかすいたなー。なんかつくろっかなー。

どうでもいいことをたくさん書いちゃった。また明日会えるのにね。ばかみたい。

じゃあねー。またあした。川で待ってます。

ナナコより

小夜子は手紙から顔を上げた。

見たことのない景色が、実際の記憶のように色鮮やかに浮かんだ。

川沿いの道。生い茂る夏草。制服の裾をひるがえし、陽の光に髪を輝かせ、何がおかしいのか腰を折って笑い転げながら、川向こうを歩いていく二人の高校生。彼女たちはふとこちらに気づき、対岸に立ち尽くす高校生の小夜子に手をふる。ちぎれんばかりに手をふりながら、何か言っている。小夜子も手をふりかえす。何か言う。なーにー、聞こえなーい。二人は飛び跳ねながら少し先を指さす。指の先を目で追うと、川に架かる橋がある。二人の女子高生は小夜子に手招きし、橋に向かって走り出す。対岸の彼女たちを追うように、橋を目指し小夜子も制服の裾を踊らせて走る。川は空を映して、静かに流れている。

電話の呼び出し音に我に返り、小夜子はあわてて手紙を文庫本に差し挟んだ。

「あーどうもー。え？　ああ、その件？　何よ、やらないなんて言ってないよ。私をなめないでよ。うちね、新生プラチナとして始動するから。じゃんじゃんお願い。そうだよ、有能人材が向こうから飛びこんできたし」

段ボールを床に下ろし小夜子は和室の葵をちらりと見る。目が合った。葵は唇を大きく横に広げて一瞬笑い、すぐに真顔に戻ってコンピュータに目を落とす。

「そうだよ、うん。じゃあ打ち合わせする？　今日でもいいけど。ああ、明日？　了解。えー、そうなのお？　やだ、ばっかみたい」

葵は声をあげて笑った。段ボールをまたひとつつぶし、顔を上げると、リビングの窓はほぼ完全にあらわれていた。低く連なる民家と、ときおり空を刺すように突き出たビルが、くっきりとした輪郭で、澄んだ空の下に続いている。民家のあいだをくねくねと走る細い道路は、たった今あらわれて消えた川のようだった。制服を着た自分たちは、家々の屋根を軽々と越え、笑い声を響かせて走り去っていく。

「三時のおやつにビール飲もう。再就職祝い」

電話を切った葵は、キーボードから目を逸らさず言う。

「うんと辛いもの奢《おご》って！　辛5レベルじゃなきゃやってらんない、この部屋はすごすぎる」

小夜子も手を休めず答えた。窓から射しこむ光の帯は、散らかったリビングを貫き薄暗い和室の入り口まで延びている。小夜子のこめかみから顎を伝い、汗が一滴落ちた。

解説

森 絵都

人と出会うということは、自分の中に出会ったその人の鋳型《いがた》を穿《うが》つようなことではないかと、私はうっすら思っている。その人にしか埋められないその鋳型は、親密な関係の終了と同時に中身を失い、ぽっかりとした空洞となって残される。相手との繋がりが強ければ強いほどに空洞は深まり、人と出会えば出会うだけ私は穴だらけになっていく。

一体どうしてそんなイメージを抱くようになったのか。

人と出会うこと、自分の内部にその人をすっぽり受け入れることに、いつからこんなに弱腰になってしまったのか。

第百三十二回直木賞を受賞した本書『対岸の彼女』を読みながら、私は幾度もそんな自問をくりかえした。なぜなら、この本には切ないほど自分によく似た三十代の女たちが登場するからだ。或いは、三十代というのは人との出会いに倦《う》みはじめる年頃なのかもしれないけれど。

田村小夜子。三十五歳。五年前に勤め先での人間関係に疲れて寿退社をした彼女は、以来、家に籠もって出会いのない日々を送ってきた。夫、娘、そして嫌味ばかりを口にする姑。この三人が彼女を取りまく世界の全構成員と言っても過言ではない。外で友達と息抜きをすることもなく、それどころか公園デビューにつまずいたことが尾を引いて、最近では他者と交わる気力自体を失いかけている。

本書は、そんな小夜子が一念発起をして働きに出ようと決意し、面接に赴いた会社で一風変わった女性――この小説のもう一人の主人公である葵と出会うところからはじまる。

楢橋葵。三十五歳。大学卒業と同時に旅行事務所を興し、軌道に乗ったところで有限会社を立ちあげた女社長。サークル活動の延長のようなノリの中で日々の仕事をこなし、彼女にとって未知のビジネスにも積極的に手を広げていく。性格は陽気でざっくばらん、常に笑いの渦の中心にいるような存在だ。

小夜子と葵。まさしく対岸にあるような二人の人生が、ある一点で交わった。同じ大学の同級生であったという親しみのせいか、最初のうちこそ急速に歩みより、意気投合して新事業をもりたてていこうとする二人だが、時を経るにつれて亀裂が生じていく。独身女性と主婦。社長と部下。外に向かう性格と内に向かう性格。様々な相違が二人を隔てる障壁として立ちはだかる。果たして彼女たちはそれを越えることができるのか？

本書のテーマをわかりやすく括《くく》ってしまうと、そういうことになるのかもしれない。立場の異なる女同士のすれちがい。しかし、この小説は決してそれだけのシンプルなラインの上には成り立っていない。

というのも、本書は小夜子の視点で語られる「現在」と、葵の視点で語られる「過去」と、二つの時間軸が交差をくりかえす複雑なスタイルで進行していくからだ。言うなれば二つの大きな流れがあり、うねりがあり、読者である私たちは現在へ、過去へと激しく揺さぶりをかけられることになる。

葵の過去に足を踏みいれた読者の多くは、程なく小さな戸惑いを覚えることだろう。え、これは本当に葵の過去なの？　と。十数年前の葵――群馬の田舎町で高校に通っていた当時の彼女は、どちらかといえば小夜子に近いタイプのように見える。一歩足を踏みだすことにためらいつづける女子高生。その姿が、現在の葵――前のめりに大地を蹴りつけて歩くような女社長の姿と重ならないのである。

なぜ？

心で問いながら読み進める。どうやら葵には秘密があるようだ。果たして何があったのか。何が彼女を変えたのか。夢中でページを繰りつづけ、高校時代の葵を追いかけていくにつれ、私たちは少しずつその核心へと近づいていく。そこには秘密をめぐる謎解きのような面白さがあるのと同時に、何が出てくるやもしれない闇鍋をつくような空恐ろしさもある。

何が恐ろしいのか？　最初の一歩を踏みだすことにさんざんためらいながらも、いざ踏みだしたが最後、たちまち制御不能の暴走に至ってしまう葵の若さかもしれない。

高校時代の葵は切ない。その年頃の多くがそうであるように、ひどく脆《もろ》くて危なっかしい。時に小賢《こざか》しく、変なところで純真なところがまた一段と物騒に思える。殺伐《さつばつ》とした高校生活を送る彼女がかろうじて保っていたなけなしの純真。それを刺激したナナコとの出会いを契機に、過去の葵は息詰まるような日常からそろりと小さな一歩を踏みだしていく。

葵とナナコのあいだに芽生える友情。いびつな均衡の中で育まれる絆。ある一日をきっかけに急激に加速度を増していく二人の逃走――。多少なりとも高校時代の自分を憶えている人ならば、まるで駆け落ちのように手と手を取り合って自分たちだけの世界へ逃げこもうとする二人に心を重ねずにはいられないはずだ。恋の話で盛りあがり、ファッションに凝り、気に入らない教師たちを腐しながらも、私たちは常に何かを警戒し、信じられる友達だけを一心に求めていた。当時の友達づきあいをふりかえると、なぜあんなにも疎《うと》ましいほどに濃密な関係に耐えられたのだろうと怪訝《けげん》に思う一方、なぜあんなにも必要としていたその濃密さを卒業と同時に失うことができたのだろうと不思議にも思う。

「私たちの世代って、ひとりぼっち恐怖症だと思わない？」

三十五歳の葵が小夜子に語るその言葉には、かつて私たちが抱いていた共通の幻想が集約されている気がする。

「お友だちがいないと世界が終わる、って感じ、ない？　友達が多い子は明るい子、友達のいない子は暗い子、暗い子はいけない子。そんなふうに、だれかに思いこまされてたんだよね」

逃亡劇の末、葵とナナコは最悪の結末を迎えた。無力な高校生にもスキャンダラスな事件で世間を騒がすことはできたが、それを自分たちで収拾するだけの力は持ち得なかった。引き離され、声を聞くことも禁じられた二人が、葵の父親の手引きで最後に一度だけ再会を果たす。その場面は何度読み返しても胸が詰まって仕方がない。

会いたくて、話したくて、声が聞きたくてたまらなかった。なのに、いざ再会すると何をどう伝えればいいのかわからずに時だけが過ぎていく。

許された時間がわずかになったところで、ようやく二人は向かい合う。

「あのね、銀よりプラチナが強いんだって。だからあたし、ナナコにプラチナのリングをプレゼントする。そうすれば、銀よりずっとしあわせになれる」

「じゃあ、あたしもアオちんにプラチナのリングを贈ることにする」

十九歳の誕生日に指輪をもらうと一生しあわせになれる。そんな伝説にすがるようにしてナナコの未来を照らそうとする葵に、ナナコも同じ約束を返す。空の青を映す川のほとりで、果たすことのできない約束であると恐らくは二人とも知りながら。なんと美しく、そして儚《はかな》い情景だろう。

たとえ彼女たちのそれまでの高校生活がろくでもないことの連続であったとしても、そしてその後の高校生活もまた輪をかけてろくでもないことの上積みであったとしても、この一齣《ひとこま》を胸に刻んでいるだけで、きっと二人は自分たちの過去を肯定できる。そこには一歩を踏みだすに足る何かが確かにあったのだ、と。

この小説が素晴らしいのは、彼女たちの過去を彩るこのシーンが単なるノスタルジーとして語られているのではなく、今現在の葵が足を踏みだしつづける力の源泉として描かれていることだ。

遠い日の青臭い約束を葵は忘れていない。それは彼女が立ちあげた会社の名前が如実に物語っている。彼女を変える原動力となったナナコの存在は、今も尚、葵の中で強い光を放ちつづけている。

そして、その光は小夜子にも飛び火する。家から足を踏みだすこと、人と出会うことに倦み、そんな自分を責め、一大決心の末に働きに出たはいいもののそうそう世間は甘くはなく、油まみれになって掃除業務をこなし、この人ならと思っていた女社長とは決裂し、職場での居場所すら失いかけていた小夜子は、そのまま再び家に籠もってしまうのかと思いきや、最後の最後で意外なふんばりを見せる。ようやく踏みだした一歩のその先へ進む決意を示してくれる。

そして——その決意は読者である私たちにも飛び火して、この小説を最後まで読み終えたとき、誰もがきっと静かな感動の中でこう思うだろう。自分も前へ進もう、と。

人と出会うということは、自分の中にその人にしか埋められない鋳型を穿つようなことだと思っていた。人と出会えば出会うだけ、だから自分は穴だらけになっていくのだ、と。

けれどもその穴は、もしかしたら私の熱源でもあるのかもしれない。時に仄《ほの》かに発光し、時に発熱し、いつも内側から私をあたためてくれる得難い空洞なのかもしれない。

（作家）

文春文庫

対《たい》岸《がん》の彼女《かのじょ》

定価はカバーに
表示してあります

2007年10月10日　第1刷
2011年4月20日　第9刷

著　者　角田光代《かくたみつよ》

発行者　村上和宏
発行所　株式会社　文藝春秋

東京都千代田区紀尾井町3-23　〒102-8008
TEL　03・3265・1211
文藝春秋ホームページ　http://www.bunshun.co.jp

落丁、乱丁本は、お手数ですが小社製作部宛お送り下さい。送料小社負担でお取替致します。

印刷・凸版印刷　製本・加藤製本
Printed in Japan
ISBN978-4-16-767205-8